KARDEC

MARCEL SOUTO MAIOR

KARDEC
A BIOGRAFIA

11ª edição

EDITORA RECORD
RIO DE JANEIRO • SÃO PAULO
2019

CIP-BRASIL. CATALOGAÇÃO NA PUBLICAÇÃO
SINDICATO NACIONAL DOS EDITORES DE LIVROS, RJ

M71k
11ª ed.

Maior, Marcel Souto, 1966
Kardec: a biografia / Marcel Souto Maior. - 11ª ed. - Rio de Janeiro: Record, 2019.
364 p.; 23 cm.

Inclui bibliografia
ISBN 978-85-01-10067-2

1. Kardec, Allan, 1804-1869. 2. Espiritismo. I. Título.

13-05137

CDD: 133.9
CDU: 133.7

Texto revisado segundo o novo Acordo Ortográfico da Língua Portuguesa.

Direitos exclusivos desta edição reservados pela
EDITORA RECORD LTDA.
Rua Argentina, 171 - 20921-380 - Rio de Janeiro, RJ - Tel.: (21) 2585-2000,
que se reserva a propriedade literária desta tradução.

Impresso no Brasil.

ISBN 978-85-01-10067-2

"Morte, Morte, Morte
que, talvez,
seja o segredo dessa vida"

Raul Seixas

A Canuto Abreu, pioneiro na pesquisa e na divulgação da obra de Kardec no Brasil; a Wagner de Assis, aliado fundamental neste projeto, que enfrentou o desafio de transformar esta história em filme; e a Chico Xavier, que lutou até o fim para pôr em prática as principais lições de Kardec.

Sumário

PARTE IV
Verdades e mentiras

PARTE V
Multiplicar e dividir

PARTE VI
Sob suspeita e sob pressão

PARTE VII
Contagem regressiva

PARTE I

O GIRO DAS MESAS

Aceitai

Paris, rua Grange Batelière, número 18, maio de 1855. Eram oito horas da noite de uma terça-feira quando a sessão na casa da sra. Plainemaison começou. Em silêncio absoluto, os convidados tomaram seus lugares à mesa, mãos espalmadas sobre o tampo de carvalho. Entre os mais compenetrados estava o professor Hippolyte Léon Denizard Rivail, 50 anos. Em poucos minutos, se tudo desse certo, ele seria testemunha de um fenômeno que causava espanto e polêmica na Europa e nos Estados Unidos do século XIX: o espetáculo das mesas girantes.

Ele já tinha lido as notícias nos jornais e ouvido os relatos das cenas que se repetiam em salões nobres de Paris, Londres, Nova York e São Petersburgo, diante de personalidades tão ilustres quanto perplexas: mesas de todos os pesos e tamanhos se erguiam do chão e se moviam em todas as direções, sem que ninguém as levantasse. Algumas chegavam a atingir o forro do teto e a se espatifar lá embaixo, como se estivessem dominadas por forças ocultas. Outras flutuavam no ar e pousavam diante das testemunhas, como folhas ao vento. Muitas seguiam as ordens e contraordens dos comensais. Direita, esquerda, sobe, desce, para.

No jornal *L'Illustration* de 14 de maio de 1853, o alvoroço provocado pelas mesas girantes era retratado em tom de lamento e ironia:

> Só se ouve falar, por toda parte, da mesa que gira: o próprio Galileu fez menos ruído no dia em que provou ser realmente a Terra que girava em torno do Sol.

> Ide por aqui, ide por ali, nos grandes salões, nas mais humildes mansardas, no atelier do pintor (...) e vereis pessoas gravemente assentadas em torno de uma mesa vazia, que elas contemplam à semelhança daqueles crentes que passam a vida a olhar seus umbigos.

Assombração? Possessão? Autossugestão? Delírio coletivo?

Estudioso, desde os 19 anos, da hipnose, do sonambulismo e do poder curativo dos fluidos magnéticos, o professor Rivail tinha uma tese científica para explicar o que muitos celebravam como manifestações do além: a eletricidade dos corpos reunidos em torno das mesas agiria sobre elas. Era a força magnética dos participantes das sessões, e não os fantasmas, o combustível das mesas. E essa era a melhor das hipóteses.

A explicação mais provável para tantos prodígios era outra: fraude pura e simples, operada por farsantes com a ajuda de fios invisíveis, roldanas embutidas no teto e ímãs instalados sob o tampo das mesas, em ambientes sempre mal-iluminados.

Rivail testemunhara os poderes nada sobrenaturais de mecanismos como estes, traquitanas que conhecera anos antes, enquanto trabalhava como contador no pequeno teatro Les Folies Marigny, nos Champs-Élysées, palco de inúmeras experiências magnéticas, elétricas e mecânicas conduzidas por físicos e químicos em espetáculos concorridos.

"Quem estudar a fundo as ciências rirá da credulidade supersticiosa dos ignorantes. Não mais crerá em fantasmas ou almas do outro mundo. Não mais tomará fogos-fátuos por espíritos" — afirmava Rivail, filho de pais católicos e devoto de filósofos racionalistas como René Descartes, para quem a ciência, "conhecimento exato e evidente", deveria descartar tudo o que fosse meramente provável.

Era, portanto, com um misto de curiosidade e desconfiança que Rivail se preparava para encarar os prováveis fenômenos da noite. Será que a mesa se moveria? Será que seguiria as instruções dos anfitriões e convidados, como a obediente mesa do conde, estadista, escritor e orador Agénor de Gasparin?

*

Um longo artigo assinado pelo conde e republicado nos principais jornais do país causara frisson entre os mais céticos e desconfiados. Um ano antes de Rivail tomar seu lugar à mesa da sra. Plainemaison, o conde convocou a mulher, os três filhos (crianças de 11 a 15 anos), os botânicos Muret e Reuter e o pastor Tachet, além de "vários domésticos", para participar de uma experiência em sua casa.

A estrela da noite: uma mesa de freixo redonda, com tampo de 80 centímetros de diâmetro, apoiado sobre coluna de madeira maciça com três pés. Os olhos do conde e de seus convidados ficaram cravados no móvel por uma hora até que ele fizesse jus à sua definição e se movesse sobre os tacos.

Após os primeiros tremores, o impossível passou a acontecer. Com a palavra, o conde:

> Dada a voz de comando, logo a mesa obedecia, e realizava movimentos que nenhuma cumplicidade involuntária ou voluntária teria podido provocar (...).
>
> Bate três pancadas, bate dez. Bate com este pé, com aquele, com aqueloutro; levanta-te sobre dois de teus pés, sobre um deles; fica aprumada; resiste ao esforço daqueles que, colocados no lado em que te elevares, procurarão reconduzir-te ao chão.

Em pouco tempo, a brincadeira ficou mais divertida. Os comensais deixaram de pronunciar suas ordens em voz alta e passaram apenas a sussurrar para o vizinho o número de pancadas imaginado a cada rodada. Instantes depois, a mesa seguia as ordens inaudíveis.

No artigo, o conde admitiu ainda um engano cometido por ele e corrigido pela sábia mesa, quando pediu que ela revelasse, ao som das pancadas, a idade de cada um:

> Ela assentiu, apressando-se, de uma forma muito cômica, quando o número de pancadas a bater era algo considerável. Devo confessar, para vergonha minha, que fui corrigido por ela; tendo involuntariamente diminuído minha idade, a mesa, apesar disso, deu 43 pancadas em lugar das 42.

A sessão terminou com uma reverência da súdita a seu senhor:

> Ordenei à mesa que se erguesse, que se erguesse mais e que se inclinasse para o meu lado, o que foi feito.

No fim do texto, uma ordem aos leitores: "Aceitai".
Muitos não aceitavam. E o professor Rivail estava entre eles.

Sua postura ainda era a mesma do ano anterior, quando reagiu com ceticismo às descrições do amigo Fortier — especialista em hipnose — sobre o poder de comunicação das mesas.

> — Elas falam! Interrogadas, respondem. Uma das mesas usou os pés para ditar magníficas composições literárias e musicais.
>
> — Só acreditarei se me provarem que uma mesa tem cérebro para pensar e nervos para sentir — respondera Rivail.

A presença do professor cético na sessão da sra. Plainemaison aumentava a tensão e a expectativa dos anfitriões e convidados naquela noite.

O nome de Hippolyte Léon Denizard Rivail, ou melhor, suas iniciais, H.L.D. Rivail, estampavam as capas de mais de 20 livros didáticos adotados por escolas e universidades da França. Seu primeiro livro, *Curso prático e teórico de aritmética*, lançado aos 18 anos, seria republicado como obra de referência ao longo de cinco décadas. Como epígrafe, uma citação do filósofo Michel de Montaigne: "Não se trata de ser mais sábio, porém melhor sábio."

Quem sabe o professor não encontraria explicações científicas para o sobe e desce das mesas, caso o fenômeno se repetisse na casa da sra. Plainemaison? Quem sabe não desvendaria truques secretos por trás de movimentos atribuídos a fantasmas?

De estatura média para a época, 1,65m, o professor Rivail exibia a palidez salpicada de sardas de uma vida em confinamento, sempre debruçado sobre a escrivaninha do escritório ou de pé nas salas de aula, entre os alunos e a lousa. Cabelos lisos repartidos na frente, da esquerda para a direita, exibia um bigode rarefeito, aparado rente ao lábio para disfarçar uma pinta pronunciada sobre a boca. Os olhos castanho-claros e a cabeça redonda e maciça, assentada sobre o pescoço largo, davam a ele a aparência mais de alemão do que de francês.

Com a voz clara e firme, gestos sempre sóbrios e contidos, demonstrava um talento especial para a oratória e — como professor habituado à peleja de envolver os alunos — era capaz de iniciar sua fala no tom mais suave possível, até encerrá-la com explosões de eloquência. Fazia questão de comunicar: nas conversas, palestras e páginas dos livros. Era quase uma obsessão sua ser o mais claro e acessível possível, ou seja, o mais didático. E não faltavam lições a preparar e difundir naquele século de tantas dúvidas e descobertas.

Coisa do diabo

Para Rivail, a ciência, em plena ebulição na época, ainda tinha muito a descobrir e revelar. Ondas eletromagnéticas, feixes de luz, vapor transformado em pressão mecânica, calor e magnetismo estudados como fontes de energia, e não mais como "fluidos imponderáveis". A cada dia, pesquisadores anunciavam descobertas mais impressionantes e transformavam o impossível de tempos atrás em evidências científicas e invenções revolucionárias.

Tudo parecia possível no século XIX, inaugurado com a locomotiva a vapor de Richard Trevithick e iluminado, na reta final, pelas lâmpadas incandescentes de Thomas Edison. Criações quase milagrosas. Era como se o homem virasse Deus ou sua extensão, para finalizar ou aperfeiçoar a obra iniciada por Ele.

"Que obra Deus fez!" Não por acaso foi esta a primeira mensagem enviada por Samuel Morse ao inaugurar sua invenção: o revolucionário telégrafo, que dizimou distâncias e aproximou os homens ao transmitir informações através de mares e continentes em velocidade impressionante.

Mas nem todos faziam reverências a tanta modernidade.

"As coisas estão sobre a sela/ e cavalgam a humanidade", alertava o escritor Ralph Waldo Emerson em 1847, preocupado com tamanha devoção aos avanços tecnológicos num mundo onde Deus já não era mais tão Todo-Poderoso assim. No conto de Nathaniel Hawthorne, "Celestial Railroad" ("Ferrovia celestial"), passageiros embarcavam numa locomotiva barulhenta e fumegante rumo ao inferno.

E nem tudo era verdade ou avanço entre tantos feitos. Melhor estar atento para não se deixar levar por embustes, como a exibição do esqueleto de uma sereia no Museu Americano — obra de um gaiato chamado Barnum, realizada com rabo de peixe e cabeça de macaco — ou como os shows de levitação e "materialização de espíritos" promovidos por ilusionistas que, em vez de se anunciarem como mágicos, vendiam-se como magos.

Neste cenário marcado por milagres da ciência e golpes de farsantes, as mesas girantes atraíam multidões engalanadas e dividiam opiniões. E esta agitação era só o começo. Em pouco tempo, as mesas passariam também a transmitir mensagens, ao som de pancadas certeiras, como telégrafos saltitantes.

Uma pancada, letra A, duas pancadas, letra B, e assim sucessivamente, até se formarem palavras, frases e textos inteiros.

Diante do frenesi causado pelas mesas girantes e agora *parlantes*, os jornais de Paris passaram a publicar artigos irônicos e charges divertidas sobre a nova mania nacional.

Numa série publicada no *L'Illustration*, em julho de 1854, uma mesa mignon, bem-torneada, oferecia seus préstimos profissionais aos interessados:

> Jovem mesa, de exterior simpático, que fala várias línguas e conhece um pouco de aritmética e muitas histórias, pede um lugar de intendente de finanças.

Em outro cartum, um estudante, recostado em sua cadeira, cruza os braços, enquanto a mesa à sua frente, lápis preso a uma das pernas, faz o dever de casa:

Os castigos escolares... Ora! Deles não mais faço caso. As mesas foram feitas para trabalhar, portanto faço trabalhar a minha.

Em outra charge, um senhor de fraque repreende o jovem, cartola à mão, cabisbaixo:

Como é possível? É então você, infeliz rapaz, que mantém criminosa correspondência com a mesa de costura de sra. Coquardeau!?

E, na cozinha de outra residência, o comissário de polícia interroga a dona de casa:

— Dissestes que vossa cozinheira vos furtou, mas e as provas?
— Senhor comissário, eis a mesa da cozinha, que está pronta para depor por escrito.

Muita gente, porém, levava a sério as *tables mouvantes* e *parlantes*. Ao encostar os dedos mindinhos nos dedos mínimos dos seus vizinhos de assento e assim "fechar a corrente" na casa da sra. Plainemaison, Rivail se uniu a um grupo de estudiosos dispostos a encarar os rodopios e ditados das mesas como objetos de estudo e não como meios de diversão.

O professor estava disposto a dar crédito à anfitriã — considerada respeitável e confiável pelos velhos conhecidos —, mas só decidiu apostar na sua boa-fé depois de inspecionar, com a devida discrição, o ambiente iluminado por velas e candelabros, em busca de sinais de traquitanas ocultas. Nenhum fio, ímã ou roldana à vista. "Concentrem-se, por favor. E que Deus nos abençoe nesta noite."

Uma breve prece antecedeu o longo período de silêncio, só interrompido pela passagem de carruagens do lado de fora, pelo tique-taque dos relógios de bolso e por tosses esporádicas. Rivail já pensava em se retirar, para preparar as aulas do dia seguinte, quando ouviu estalidos sobre os tacos e testemunhou o primeiro movimento da mesa.

Se pudesse erguer as mãos, anotaria, com o máximo de isenção, suas impressões sobre aquela noite, sem tomar partido — ainda — de nenhuma das linhas de investigação dos fenômenos existentes até aquele momento. Ele já conhecia os principais argumentos e interesses em jogo neste território nebuloso, onde fé e ciência mediam forças na então capital cultural do mundo, berço de iluministas consagrados.

Jogo de forças

"Quem sabe não estamos diante de uma nova ciência, capaz de purificar o mundo de tanto materialismo?" Foi o que escreveu, entusiasmado, o estudioso do magnetismo dr. A. Mayer em artigo no *Presse Medicale*:

> É todo um mundo a explorar, e talvez seja a chave de uma ciência nova que nos desvelará os mistérios até o presente impenetráveis da psicologia.

Bem menos esperançoso, o químico Michel Eugène Chevreul, membro da Academia das Ciências de Paris, arriscou, em artigo publicado no jornal *La Patrie*, uma explicação fisiológica para o frenesi das mesas cultuadas por multidões:

> Tudo é devido a uma ação muscular imperceptível a eles mesmos e a todas as demais pessoas (os participantes das sessões). Trata-se de um movimento vibratório, emanado de milhares de pequenos ramos nervosos. Acrescei a isto a fadiga, a umidade das mãos, e tereis uma explicação, senão completamente satisfatória, pelo menos bem plausível do fenômeno de que nos ocupamos.

O célebre físico e químico inglês Michael Faraday entrou na roda de investigação para medir a suposta influência de fluidos magnéticos ou elétricos transmitidos à mesa pelos participantes das sessões — tese defendida por Rivail. Resultado de suas experiências: a mesa se moveu quando as mãos estavam espalmadas sobre o tampo, mas continuou estática quando o cientista usou talco e lâminas de mica para isolar o contato entre os dedos dos comensais e a madeira.

Por esta lógica, a dança das mesas seria regida pelos participantes da sessão, com ou sem a consciência deles, por boa-fé ou má-fé. E os relatos sobre as mesas suspensas no ar, livres do contato das mãos, estavam fora de cogitação. Deveriam ser descartados como meras fraudes, delírios hipnóticos coletivos ou ilusões contrárias às leis da natureza mais básicas, como a força da gravitação.

Ao ler tantos pareceres céticos, o conde de Gasparin pediu a palavra para contestar os sábios cientistas:

> Todas as leis da natureza já lhes foram reveladas? A ciência humana não leva mais em conta leis desconhecidas e se recusa a considerar novas ideias?

A Igreja defendia uma tese bem mais simples para explicar os fenômenos sobrenaturais: coisa do diabo.

Dois anos antes de Rivail se sentar à mesa da sra. Plainemaison, o bispo de Viviers dirigira uma carta pastoral à comunidade católica de sua diocese para condenar a evocação de mortos "nesses passatempos aparentemente inocentes, mas ocultamente diabólicos". Mesas girantes eram admissíveis — como "exercícios puramente recreativos" —, mas mesas falantes, que se identificavam como "almas de mortos", eram necrofilia, possessão e heresia, sujeitas a exorcismos ou à excomunhão dos pecadores.

O padre Louis Eugène Marie Bautain, vigário-geral do arcebispado de Paris e doutor em Teologia, Medicina e Direito, também empunhou seu crucifixo para excomungar as mesas demoníacas.

Sim, ele admitiu, em livro publicado em 1853 (*Avis aux Chrétien sur les tables tournants et parlantes, par um Eclésiastique*): esteve frente a frente com as ditas-cujas, e elas não eram tão inofensivas quanto pareciam.

Bastava citar o nome de Nosso Senhor Jesus Cristo para que se rebelassem: "Elas resistem, insurgem-se, agitam-se e se lançam ao chão, escapando às mãos que as tocam."

As mesas consultadas pelo escritor e ensaísta Eugène Nus e seus amigos eram bem mais comportadas e refinadas do que as colegas paroquiais.

As piruetas sem rumo, testemunhadas nas primeiras sessões promovidas pelo grupo, deram lugar a verdadeiros saraus literários quando o médico Artur de Bonnand se juntou aos curiosos.

Sob a orientação do dr. Bonnand, Nus e seus companheiros — entre os quais, o professor de matemática e música Allyre Bureau — passaram a adotar o método de converter o número de pancadas desferidas pelas mesas em letras do alfabeto.

Os ditados iniciais logo se tornaram um desafio literário. As mesas deveriam responder com exatas doze palavras — nem mais, nem menos — as perguntas feitas pelo grupo sobre as mais diversas questões. Com o tempo e a prática, as respostas passaram a vir com velocidade e precisão impressionantes. Uma definição de infinito. E lá ia a mesa, pancada por pancada: "Abstração idealizada, que vai além de tudo aquilo que os sentidos concebem."

Num dos desafios, Nus pediu a definição de fé, e a mesa iniciou seu ditado barulhento: "A fé deifica aquilo que o sentimento revela e..." Nesse instante, Nus jogou todo o peso de seu corpo sobre a mesa para interromper a comunicação e tentou adivinhar o fim da frase — como num jogo. Faltavam três palavras apenas. Os companheiros de sessão se entreolharam, em busca das palavras mais adequadas, e não chegaram a qualquer conclusão. Quando libertaram a mesa, ela concluiu a definição com 63 pancadas certeiras: "... a razão explica."

Era o que contavam Nus e seus amigos, para surpresa de muitos e descrença de outros tantos.

Quem precisava comprar ingresso para o teatro com tantas emoções na sala de estar?

E as mesas giraram

Mas o palco agora era outro — a sala da sra. Plainemaison. E as mesas teriam de exibir prodígios admiráveis para derrotar as desconfianças do professor Rivail.

Por mais que lesse os relatos do conde de Gasparin e de Eugène Nus e estudasse os pareceres de Faraday e Chevreul, ele precisava "ver com os próprios olhos e sentir com os próprios dedos" para descartar uma série de suspeitas e possibilidades.

Não bastava que as mesas se movessem — esses movimentos poderiam ser provocados, segundo Rivail, pela eletricidade dos corpos reunidos na sessão:

> Esse conjunto poderia atuar como um condensador, cuja potência aumenta — ou diminui — de acordo com o número de fatores.

Não bastava que as mesas girassem:

> O movimento rotativo existe na natureza — todos os astros apresentam movimentos rotatórios. Uma causa até então desconhecida poderia gerar, em pequenos objetos, impulsos até então restritos aos globos celestes.

Não bastava que esses movimentos fossem desordenados e que as mesas se lançassem de um lado para o outro e pairassem no ar, contra todas as leis da física:

> Não vemos por acaso a eletricidade derrubar edifícios, arrancar árvores com raízes, lançar pesados corpos a distância, atraí-los ou repeli-los?

Mas e os ruídos insólitos, as pancadas inexplicáveis? Rivail também arriscava hipóteses para explicar estes fenômenos: a dilatação da madeira ou a "acumulação de fluido oculto".

> Estamos longe de conhecer todos os agentes ocultos da natureza, ou todas as propriedades dos agentes que já conhecemos. A eletricidade multiplica diariamente os recursos que proporciona ao homem e parece destinada a iluminar a ciência com uma nova luz.

E havia ainda outro fator, mais terreno, a investigar: a honestidade dos participantes das sessões. Quem estaria em torno das mesas? Quem conduziria as conversas com o além? Como garantir que, por trás de tantas maravilhas, não estivessem meros farsantes?

Rivail usaria um critério básico para avaliar a idoneidade dos envolvidos nos fenômenos das mesas girantes e falantes: o fato de cobrarem, ou não, pela exibição dos prodígios: "É necessário separar o 'charlatanismo' dos 'atos sem lucro'. Charlatães, em rigor, não praticam o ofício de graça."

Na casa da distinta sra. Plainemaison, ninguém cobrava ingresso nem pedia doações. O espetáculo era gratuito e estava prestes a começar.

Chegou a hora.

As mesas giraram na casa da rua Grange Batelière e a cabeça de Rivail girou junto.

Os registros sobre o que ele viu naquela noite são bastante concisos: "As mesas giravam, saltavam e corriam em tais condições que não deixavam lugar para qualquer dúvida."

Rivail testemunhou também o que definiu como "alguns ensaios, ainda muito imperfeitos, de escrita mediúnica numa ardósia, com o auxílio de uma cesta".

Amparada nas bordas pelas mãos da sra. Plainemaison, a cesta de vime moveu-se, aos solavancos, sobre uma placa de ardósia, rocha acinzentada usada como lousa na época. Encaixado no fundo do cesto, com a ponta voltada para baixo, um ponteiro da mesma pedra inscreveu frases esparsas na lousa. Eram respostas a perguntas lançadas ao invisível, escritas — ao que parecia — sem qualquer participação, ou consciência, da anfitriã.

Foi o bastante.

Rivail voltou para casa atordoado.

> Entrevi, naquelas aparentes futilidades, no passatempo que faziam daqueles fenômenos, qualquer coisa de sério, como a revelação de uma nova lei, que tomei a mim investigar a fundo. Havia um fato que necessariamente decorria de uma causa.

Qual seria a causa daqueles movimentos inexplicáveis? O que — ou quem — estaria por trás dos giros das mesas e dos ditados do além?

> Há ou não uma força inteligente? Eis a questão. Se esta força existe, o que é? Qual será sua natureza e sua origem? Está além da humanidade?

Rival decidiu buscar respostas, com os devidos cuidados, de acordo com métodos científicos adotados por ele desde os tempos de estudante.

Em muitos de seus livros, era assim que se definia: "discípulo de Pestalozzi, diretor de escola da Academia de Paris, membro de diversas sociedades científicas". Melhor resumir o currículo do que exibir a longa lista de diplomas obtidos nas mais diversas instituições: Sociedade Gramatical, Sociedade de Educação Nacional, Sociedade para a Instrução

Elementar, Instituto de Línguas, Sociedade de Ciências Naturais da França, Sociedade Promotora da Indústria Nacional, Sociedade Francesa de Estatística Universal e Instituto Histórico.

Em seus estudos, aulas e livros, Rivail seguia a cartilha do professor, jornalista e escritor Johann Heinrich Pestalozzi, fundador de um dos centros de ensino mais inovadores e renomados da Europa, o Instituto de Yverdon, na Suíça. Rivail tinha 10 anos quando foi matriculado no castelo de Yverdon por seu pai, o juiz Jean-Baptiste-Antoine Rivail, e pela mãe, a dona de casa Jeanne Duhamel.

No internato, os princípios de liberdade, igualdade e fraternidade difundidos pelo filósofo Jean-Jacques Rousseau — e hasteados como bandeiras na então recém-vitoriosa Revolução Francesa — guiavam as dez horas diárias de estudos e atividades complementares, como jardinagem, pintura e ginástica.

Numa época em que estudantes eram obrigados a decorar fórmulas e verdades irrefutáveis impostas pelos mestres, sob pena de experimentar a força de varas e palmatórias, o Instituto de Yverdon era uma revolução.

"A época de ensinar não é a de julgar e criticar", ensinava Pestalozzi. "A individualidade do aluno deve ser sagrada para o educador", defendia. E ia além: "O principal objetivo do ensino elementar não é sobrecarregar a criança de conhecimentos e talentos, mas desenvolver e intensificar as forças de sua inteligência."

Quando Rivail passou de aluno a professor, fez questão de listar entre os próprios "princípios adequados ao ensino" os seguintes objetivos: estimular o espírito natural de observação da criança; cultivar a inteligência para que o aluno faça as próprias descobertas; levá-lo a conhecer o fim e a razão de tudo o que faz; e conduzi-lo a "apalpar com os dedos e com os olhos todas as verdades".

"Observar" e "descobrir" eram dois verbos em alta na época. A ciência lotava teatros e disputava a atenção do público com peças e espetáculos musicais. O próprio físico Faraday, estudioso do eletromagnetismo, arrancava aplausos e suspiros da plateia ao exibir os poderes mágicos dos ímãs. Um deles, em formato de ferradura, fazia girar no ar um disco de cobre encaixado entre seus polos.

Ilusionismo? Não. Ciência. E ciência voltada para a investigação de mundos invisíveis, rastreados por microscópios e telescópios cada vez mais potentes. Dos átomos aos planetas, quais os limites?

Entre os vivos e os mortos, quais as fronteiras?

PARTE II
O MUNDO INVISÍVEL

Forças ocultas

A vida de Rivail estava prestes a se transformar radicalmente. O professor, que conciliava a educação com o ofício de contador para sobreviver, passou a dar atenção cada vez maior ao invisível. A seu lado nessa aventura estava sua companheira há 23 anos, Amélie-Gabrielle Boudet. Professora de Letras e Belas-Artes, Amélie publicara três livros antes de conhecer o futuro marido: *Contos primaveris*, de 1825, *Noções de desenho*, de 1826, e *O essencial em Belas-Artes*, de 1828.

Como Rivail, ela sabia o quanto era inviável viver apenas da venda de obras didáticas e o quanto era dura a vida de educador na França do século XIX, com salário minguado e trabalho de sobra. Quando os caminhos deles se cruzaram nos corredores escolares, a afinidade foi imediata. Sempre entusiasmada e sorridente, Amélie — chamada de Gaby por Rivail — não aparentava ser nove anos mais velha do que o quase sempre sisudo companheiro de ensino.

A paixão pela educação e o sonho de construir uma escola em parceria, ou mesmo uma rede de ensino, os uniu quando Amélie já tinha 37 anos, idade tardia, à época, para pensar em filhos ou mesmo em um bom casamento.

No dia 6 de fevereiro de 1832, casaram-se em cerimônia civil, longe dos altares religiosos. Rivail, aliás, foi também discípulo de Pestalozzi nesta união: a mulher do fundador da escola de Yverdon era sete anos mais velha do que o marido e, como Amélie, vinha de família com boa situação financeira.

Sem filhos, o casal se dedicaria a instruir os filhos dos outros em escolas privadas ou instituições públicas, e chegaria a promover em casa, à rua de Sèvres, durante cinco anos, cursos gratuitos de química, física, astronomia e anatomia comparada a alunos pobres da vizinhança.

Agora, em meio às aulas e cursos, planilhas contábeis e lançamentos de livros, Rivail precisaria encontrar tempo para os estudos do invisível. A ciência ainda não tinha nome, o objeto de suas observações não tinha corpo e seus novos mestres usariam forças ainda ocultas para se manifestar.

Rivail já tinha feito contatos com esse mundo misterioso quando começou a estudar, três décadas antes, as experiências conduzidas pelo médico alemão Franz Anton Mesmer. Ao observar a influência da lua sobre os altos e baixos da maré, Mesmer passou a especular sobre a possível influência de um fluido invisível — que permearia todo o universo — sobre o homem. Inspirado na ação a distância dos ímãs sobre os materiais metálicos, batizou esta substância de fluido magnético.

A ideia não era nova. Mesmer retomava uma linha de investigação percorrida desde a Antiguidade. O filósofo e médico suíço Paracelso, já no século XVI, atribuía um espírito a cada elemento da natureza: mineral, vegetal ou animal. Na mesma época, o médico e químico belga Jan Baptista van Helmont defendia a existência de um princípio vital comum aos homens e a todo o meio ambiente: o magnetismo animal.

O próprio Descartes, já no século XVII, declarou que o universo estaria imerso — e preenchido — por um éter onipresente. Quem sabe essas substâncias invisíveis não pudessem ser usadas para curar ou transmitir informações, emoções e energias de um corpo ao outro?

Mesmer passou da teoria à prática médica ao adotar, em sua clínica, tratamentos conduzidos com o uso de bastões de ferro imantados, mais tarde substituídos pela imposição das próprias mãos do magnetizador sobre os pacientes em sessões de cura. De acordo com este método, a transferência do fluido magnético do corpo do magnetizador ao do paciente reestabeleceria o equilíbrio do doente.

Apesar do ceticismo dos colegas de profissão, Mesmer avançou nas pesquisas e desenvolveu um instrumento tão original quanto polêmico: a cuba de magnetização. Uma caixa de madeira com cerca de 40 centímetros de altura, cheia de água temperada com limalha de ferro. Mesmer cobria esta caixa com uma tampa repleta de furos, de onde saíam barras de ferro móveis, e convidava então os pacientes a se recostarem em torno da cuba e a encaixarem as hastes metálicas, conectadas à "água magnética", nos pontos do corpo em tratamento. Uma corda unia os participantes de cada sessão uns aos outros para permitir a circulação do fluido entre eles.

As sessões eram realizadas em salas acolchoadas, ao som de piano e à meia-luz, ao longo de várias horas, e atraíam nobres e burgueses abastados, dispostos a pagar caro para se livrar das agruras dos tratamentos convencionais daqueles tempos pré-anestesia: sangrias, ventosas e laxantes, por exemplo.

Mas as reações a estas intervenções magnéticas nem sempre eram tranquilas. Pacientes chegavam a sofrer convulsões violentas e de longa duração. Efeitos colaterais descritos assim neste relatório:

> Movimentos de todos os membros e do corpo inteiro, aperto na garganta, sobressaltos dos hipocôndrios e do epigástrio, tremores e alucinação dos olhos, gritos penetrantes, choros, soluços e risos descontrolados. Reações precedidas ou seguidas de um estranho estado de torpor e de sonho, de uma espécie de abatimento e até de adormecimento.

Nas sessões à meia-luz na casa da sra. Plainemaison, Rivail vislumbrava a ação de fluidos invisíveis nos movimentos da mesa e do cesto e se lembrava das descobertas de Mesmer e seus discípulos. Aquele mundo de forças e energias desconhecidas — livres da matéria pura e simples — sempre atraiu o discípulo de Pestalozzi.

Rivail conhecia bem a história do marquês de Puységur, adepto do mesmerismo. Em 1784, ele fora chamado às pressas para atender a um camponês de 18 anos, Victor Race, atormentado por fortes dores na coluna, acompanhadas de espasmos e convulsões. Após quinze minutos de passes magnéticos, o rapaz entrou em sono profundo, sem agitação e sem dor. Nesse estado de inconsciência, passou a atender aos pedidos do magnetizador, mesmo quando as ordens do marquês não eram expressas por palavras.

De olhos fechados, como um sonâmbulo, perambulou pelo quarto e seguiu caminhos tortuosos — beirais e terraços de difícil acesso — como se estivesse com os olhos abertos. A linguagem e a maneira de o camponês se comunicar ganhavam refinamento inédito durante este estado de sono acordado ou vigília dormente. Era como se um *outro eu* se manifestasse nele. Era como se visse o mundo com outros olhos. Quando voltou a si, descreveu o marquês, seu paciente estava curado.

A obra e as proezas de outro nobre ilustre, o barão Du Potet — considerado o principal representante da escola magnética na França —, faziam o coração de Rivail acelerar.

Algumas de suas declarações mexiam com a imaginação do professor desde os anos 1820, quando textos como estes vieram à tona:

> O homem que admite apenas o que seus olhos veem tem uma visão bem curta. Aquele que não reconhece a visão do espírito se parece com o homem que, ao ver um livro fechado, não o abre, não faz nenhum esforço para saber o que ele contém nem em adivinhar seu conteúdo, mas afirma com segurança: "Não há nada escrito."

Por mais cético que ainda fosse, Rivail identificava nos transes hipnóticos e nos passes magnéticos a influência de forças ocultas e concordava com as teses centrais difundidas pelo barão Du Potet:

> Os novos fenômenos nos mostram que nossa alma pode perceber sem os órgãos dos sentidos e que, mergulhados no mais profundo sono, podemos tomar conhecimento de lugares distantes de nós, ver o que aí se passa e descrevê-lo claramente.

O professor sentiu na pele, ou melhor, nos próprios olhos, os efeitos do sonambulismo ao enfrentar um problema grave entre 1852 e 1853: a perda de visão, a ponto de já não conseguir ler nem escrever. Após uma série de exames, o médico especialista deu o diagnóstico: amaurose, com comprometimento irreversível do nervo óptico. O paciente deveria se preparar para o pior: a cegueira iminente.

Na dúvida, Rivail decidiu ouvir uma segunda opinião. Em vez de recorrer a outro médico, o velho estudioso do magnetismo bateu na porta de uma sonâmbula conhecida em Paris por promover curas milagrosas. O diagnóstico dela foi bem menos dramático: não era amaurose, mas, sim, uma inflamação nos olhos: "Em quinze dias experimentareis ligeira melhora; em um mês começareis a ver, e, em dois ou três meses, estareis curado." Em seguida, receitou a aplicação de uma mistura de água e ervas.

O cronograma foi cumprido à risca.

Ao ver a mesa rodopiar e o cesto escrever na casa da sra. Plainemaison, Rivail enxergou relações entre essas manifestações misteriosas, o magnetismo e o sonambulismo. Mas a mesa e o cesto — "sem nervos nem cérebros" — não poderiam ser encarados como sonâmbulos em transe.

Seriam então os fluidos magnéticos da sra. Plainemaison os responsáveis por aqueles movimentos bruscos e pelas mensagens ainda vagas? Afinal de contas, os fenômenos só aconteciam na presença dela.

Era preciso estudar, e Rivail encontrou um campo de estudos mais fértil para suas pesquisas quando foi apresentado a duas meninas na casa da sra. Plainemaison: Caroline e Julie Baudin, então com 16 e 14 anos, filhas de Emile-Charles e Clementine Baudin.

Prazer, Soulié

As duas jovens atraíam inúmeros curiosos aos saraus promovidos na casa de seus pais, na rua Rochechouart, e impressionavam os visitantes pela capacidade de pôr no papel — e não em pedras de ardósia — mensagens atribuídas a inteligências estranhas.

Toda semana, encaixavam um lápis no fundo de uma cesta de vime, com a ponta voltada para baixo, e equilibravam este aparelho, a *corbeille*, sobre páginas em branco. Para surpresa dos espectadores, o lápis parecia, então, ganhar vida própria, enquanto preenchia os maços de papel com textos de todos os tipos e estilos.

O novo método, muito mais prático e eficiente do que o tatibitate telegráfico das mesas falantes ou os garranchos sobre a ardósia, teria sido recomendado pelos próprios seres invisíveis em sessões simultâneas promovidas na Europa e nos Estados Unidos, ao som das rudimentares pancadas alfabéticas. Um dos amigos de Rivail ouvira as instruções do além, através de uma *table parlante*, ao participar de uma sessão em Paris: "Vá buscar no quarto aí ao lado a *corbeille* pequenina, amarra-lhe o lápis, coloque-a sobre o papel."

Instantes depois, a cesta passou a se mover e o lápis preencheu a página em branco. Era uma advertência sobre o conteúdo político de uma mensagem transmitida, minutos antes, através da mesa, agora inerte: "O que vos disse lá (na mesa), eu vos proíbo expressamente de o contardes a outrem. Na próxima vez que escrever, escreverei melhor."

Com o auxílio das cestas de bico (o bico, neste caso, era o lápis), as mensagens ganharam peso, profundidade e velocidade, para alívio de Rivail.

Atraído pelo novo método, o professor tornou-se frequentador assíduo das sessões conduzidas pelas irmãs Baudin. No início, os espectadores lançavam ao ar apenas perguntas sobre dinheiro, trabalho, saúde, amor — "questões frívolas", segundo o próprio Rivail.

Preso ao cesto sustentado por Julie e Caroline, o lápis se movia, sem contato direto com suas mãos, diante de testemunhas ávidas por revelações pessoais.

A princípio, quase todas as respostas eram atribuídas a Zéfiro, "espírito protetor da família". Irônico e bem-humorado, Zéfiro gostava de brincar com sua plateia.

Rivail não achava graça. As respostas para questões tão fúteis poderiam ser dadas pelas próprias jovens, caso desenvolvessem a técnica de conduzir o cesto, a quatro mãos, para formar frases inteiras. Com muito ensaio, uma delas poderia assumir o papel de condutora principal.

Por que não?

Mas essa história começou a mudar quando outro visitante invisível se apresentou através da escrita de Caroline Baudin. Desta vez com o lápis à mão, livre da *corbeille*, a menina deu nome e sobrenome ao recém-chegado do além: Frédéric Soulié, romancista e dramaturgo francês morto e enterrado no cemitério do Père-Lachaise nove anos antes.

Soulié fizera sucesso no teatro, com peças como *Clothilde*, e também conquistara o público com romances mordazes, como *Os dois cadáveres* e *As memórias do diabo*. A ironia dos tempos de vivo começou a se manifestar nas mensagens escritas pela jovem de 16 anos. Os textos terminavam, quase sempre, com a rebuscada assinatura do escritor.

Rivail confrontou as assinaturas do além com as originais e ficou impressionado com as semelhanças. Caroline, que tinha 7 anos quando o escritor morreu, precisaria ter treinado muito para alcançar esse resultado.

Por que não?

Soulié passou a fazer visitas frequentes, mas só aparecia quando um dos frequentadores do sarau estava presente. Era como se chegasse e fosse embora com este visitante, identificado por Rivail em suas anotações como um "amigo póstumo" do escritor. Nessas noites, Zéfiro se retirava e Soulié assumia sozinho a condução do lápis de Caroline.

Mas seria mesmo o saudoso escritor?

A resposta começou a ficar mais clara para Rivail quando o visitante do além decidiu presentear a plateia, quase trinta pessoas — entre elas, a ressabiada Amélie — com um conto inédito. O título: "Uma noite esquecida". As primeiras frases eram promissoras: "Havia em Bagdá uma mulher do tempo de Aladino. Vou contar a sua história."

O lápis sustentado por Caroline preenchia as páginas em branco sem interrupções. O cenário do conto era um bairro pobre de Bagdá, onde morava uma feiticeira chamada Manuza. Numa noite de desespero, o sultão bateu à sua porta em busca de socorro e, durante "um quarto de hora de espera e de angústia mortal", ouviu ruídos assustadores e vislumbrou brilhos inexplicáveis vindos de trás da porta.

> Uma matilha de cães latia ferozmente; havia gritos lamentosos e cantos de homens e mulheres, como no fim de uma orgia e, para iluminar esse tumulto, luzes corriam de alto a baixo da casa, como fogos-fátuos de todas as cores. Depois, como que por encanto, tudo cessou: as luzes se extinguiram e abriu-se a porta.

Caroline não parecia ter qualquer consciência do que escrevia e chegava a rir e conversar enquanto sua mão se arrastava sobre o papel. Foram necessárias cinco sessões para que o mistério de Manuza e seu sultão fosse revelado por completo.

O texto chegava sem rasuras, com as cenas bem-encadeadas, e, a cada reunião, a escrita era retomada sempre do ponto certo — o último parágrafo escrito no encontro anterior —, apesar dos intervalos de duas ou até três semanas entre algumas sessões.

A grafia era idêntica à dos textos assinados pelo dramaturgo — letras bem diferentes das exibidas em mensagens atribuídas a outros visitantes invisíveis.

Caroline deveria ter excelente memória, além de talento literário, para imitar a forma e o conteúdo de Frédéric Soulié nessas sessões esparsas. E as irmãs teriam de exercitar muito para não se confundir ao adaptar a própria escrita às letras e estilos de mais de vinte *inteligências* diferentes (o número de manifestantes aumentaria a cada semana).

Por que não?

Rivail tinha uma resposta para esta última questão. Ou melhor, tinha uma série de perguntas a fazer. Por que Caroline, Julie e seus pais perderiam tempo com fraudes como essas? O que ganhariam com estas encenações, já que não aceitavam doações nem pediam qualquer contribuição? Por que a jovem Caroline renegaria a autoria de um conto tão bem urdido como o de Frédéric Soulié?

Com a chegada do dramaturgo morto e dos outros visitantes invisíveis, Rivail — que já dera razão ao amigo Fortier ao admitir o poder de comunicação das mesas — passou a dar crédito também a outro velho amigo, o linguista Carlotti. Depois de testemunhar as proezas das mesas girantes, dançantes, saltitantes e falantes, Carlotti passou a defender, com veemência, uma tese encarada com desconfiança pelo professor: na falta de cérebro e nervos, as mesas seriam guiadas por espíritos.

Espíritos!

Foram eles mesmos que se apresentaram assim — nesses termos — ao ainda desconfiado professor.

Quem sabe?

Vem contemplar o invisível

Um dos escritores e poetas mais célebres da França, Victor Hugo, não tinha dúvidas: os espíritos não só existiam como exerciam sobre nós uma influência decisiva. Para o autor de *O corcunda de Notre-Dame*, a zombaria em torno das mesas girantes e falantes era injustificável:

> Substituir o exame pelo menosprezo é cômodo, mas pouco científico. O dever elementar da ciência é verificar todos os fenômenos, pois a ciência, se os ignora, não tem o direito de rir deles.

Já em 1853, o escritor assistira aos prodígios das mesas falantes em reuniões promovidas pela sra. Girardin em Jersey, pequena ilha situada entre a Inglaterra e a França. Jornalista e autora de romances e comédias, esposa do político e fundador do jornal *La Presse*, Émile de Girardin, a anfitriã conduzia as sessões mais concorridas e, ao mesmo tempo, privadas da época.

Balzac, amigo de Victor Hugo, chegou a testemunhar alguns diálogos improváveis intermediados pelas mesas mágicas da jovem senhora. Nos encontros, visitantes tão célebres quanto mortos travavam longos diálogos com os convidados perplexos.

Na lista de interlocutores notáveis, Dante, Molière, Rousseau, Sócrates, Ésquilo, Shakespeare e Maquiavel. Galileu Galilei e Joana D'Arc, duas vítimas do Santo Ofício, também se manifestavam com frequência, para deleite de Victor Hugo, adversário ferrenho dos dogmas da Igreja. "Pensar é duvidar", ele repetia, enquanto sonhava com uma religião capaz de aceitar e unir fiéis de diferentes crenças.

Em 19 de setembro de 1854, um espírito que se denominou Morte convidou o futuro escritor de *Os miseráveis* a dar uma nova dimensão à sua obra e à sua vida:

> Vem olhar o inabordável, vem contemplar o invisível, vem achar o improvável, vem transpor o intransponível, vem justificar o injustificável, vem realizar o não real, vem provar o improvável.

No poema *À Villequier*, o escritor deu seu testemunho de fé:

> Eu digo que o túmulo que sobre os mortos se fecha
> Abre o firmamento
> E que aquilo que aqui embaixo acreditamos ser o fim
> É o começo.

E em carta à sra. Girardin, enviada em 4 de janeiro de 1855, agradeceu pela revelação de tantos "horizontes misteriosos":

> As mesas nos dizem, com efeito, coisas surpreendentes. Como gostaria de conversar com a senhora, beijar-lhe as mãos, os pés, as asas...

Para os céticos, tanto entusiasmo tinha uma triste explicação: a morte da filha de Victor Hugo, Leopoldina, e do marido dela num naufrágio no Rio Sena. O espírito da moça teria sido o primeiro a se manifestar quando a sra. Girardin apoiou uma pequena mesa de madeira sobre uma mesa maior na sala de estar e passou a intermediar os diálogos telegráficos com o invisível:

— Quem és?
— Filha.
— Em que penso?
— Morta.

Victor Hugo entrou na conversa:

— Onde estás?
— Luz.
— O que se deve fazer para ir a ti?
— Amar.

Em Paris, sem a presença da sra. Girardin, o escritor e sua mulher usavam a própria mobília para estabelecer contatos com o outro mundo. Numa noite de tédio, recorreram a uma mesa de pé de galo em busca de respostas do além para a seguinte questão metafísica: qual é a função do homem na Terra?

Depois de algum tempo, a mesa começou a tremer, até bater cinco pancadas: letra E. Depois, foram mais quatro pancadas — letra D — e, em seguida, outras cinco, um novo E.

EDE.

Após breve pausa, a mesa telegrafou as letras I, O, R, A — e parou de vez. A palavra formada pelas pancadas não fazia o menor sentido: EDEIORA.

A senhora Victor Hugo tentou decifrar o enigma:

— É esta a resposta à pergunta?
— Sim.
— Mas não se trata de uma palavra francesa...
— Não.
— É uma palavra latina?
— Não.
— São várias palavras latinas?
— Sim.

Com a ajuda de duas vírgulas, a charada foi decifrada: EDE, I, ORA. Em bom latim: coma, caminhe, ore. A fórmula da vida, e do papel do homem na Terra, segundo o visitante do além.

Aos amigos que insistiam em duvidar de seus relatos e aos sábios que desprezavam os fenômenos, Victor Hugo alertava:

> Se abandonardes os fatos, tomai cuidado. Os charlatões aí se alojarão, e os imbecis também. Não há meio-termo: ou ciência ou ignorância. Abandonar os fenômenos à credulidade é trair a razão humana.

Melhor rejeitar 10 verdades

Com cadernetas de couro sempre à mão e lápis afiados a postos nos bolsos do colete, Rivail passou a anotar com letra miúda — que, muitas vezes, só Amélie, além dele, conseguia decifrar — impressões e interrogações sobre os diálogos com Zéfiro e outros visitantes invisíveis na casa das irmãs Baudin.

Eram muitas as perguntas ainda sem resposta. Estariam essas inteligências na humanidade ou seriam sobre-humanas? As irmãs Baudin captariam no ar — no inconsciente dos vivos — ou no além as mensagens atribuídas aos mortos? Em outras palavras: estariam os mortos vivos?

Estas eram as questões cruciais capazes de tornar muito menos penosa a vida no século XIX.

O perigo e a desgraça estavam à espreita por toda a França. A capital cultural do mundo, cenário da Revolução Francesa, enfrentava tempos sombrios. A taxa de mortalidade em Paris era a mais elevada entre os principais centros urbanos da Europa. Um terço de todos os nascimentos na capital eram ilegítimos, e um décimo dos recém-nascidos eram abandonados no hospital de enjeitados, onde 60% deles morriam antes de completar um ano.

Em meados do século XIX, um em cada dez parisienses dependia da assistência social ou da caridade para sobreviver. E o rio Sena, tão romântico, era palco de um sexto de todos os suicídios da França.

O romancista Honoré de Balzac, cada vez mais lido e admirado na Europa, retratava nos volumes de sua *Comédia humana*, lançada em 1842, o abismo entre os ricos e os pobres em Paris. Em *A menina dos olhos de ouro*, descrevia assim a aparência dos moradores empobrecidos da cidade:

> Seus rostos — abatidos, amarelados, castigados pelas intempéries (...), contorcidos, desfigurados — eram mais máscaras do que rostos, máscaras de fraqueza, máscaras de força, máscaras de desdita, máscaras de prazer, máscaras de hipocrisia.

Onde estava o Deus misericordioso nisso tudo? Qual o sentido da vida em meio a tanta miséria? Como aceitar a injustiça de se nascer condenado à morte?

Era com ceticismo sim — e com uma imensa esperança também — que Rivail lutava para decifrar a lógica por trás do véu que se erguia em torno das mesas girantes e dos cestos escreventes. Para filtrar as informações do além, tentou agir como um legítimo discípulo de Pestalozzi: "Observar, comparar e julgar, essa a regra que constantemente segui."

A cada sessão na casa das irmãs adolescentes, as perguntas ficavam mais complexas. Rivail colocava à prova os espíritos — dos vivos ou do além... Como ter uma confirmação da existência de Deus? O espaço universal é um todo infinito ou delimitado? A separação da alma e do corpo é dolorosa?

O professor passou a levar para as reuniões semanais perguntas como essas. Na pauta do longo inquérito, questões sobre a vida e a morte, a moral e a psicologia, e sobre os bastidores do mundo invisível.

Para tristeza de boa parte da antiga plateia de Zéfiro, as conversas com o além foram se tornando cada vez menos pessoais. Com ou sem cesto de bico, Caroline e Julie passaram a intermediar diálogos como este, conduzido por Rivail:

> — Os espíritos possuem uma forma determinada, delimitada e constante?
>
> — A vossos olhos não; aos nossos, sim. Ela será, se imagem quiserdes, flama ou clarão ou centelha.

A cada resposta mais elaborada vinda das mãos ou do cesto das jovens irmãs, o professor ficava mais esperançoso:

> O simples fato de se comprovar a comunicação dos espíritos, dissessem eles o que dissessem, provaria a existência do mundo invisível.

Ficava também preocupado com tanta responsabilidade:

> Compreendi antes de tudo a gravidade da exploração que ia empreender; percebi, naqueles fenômenos, a chave do problema tão obscuro e tão controvertido do passado e do futuro da humanidade, a solução que eu procurara em toda a minha vida.

O problema era a morte e a solução, a vida em outros planos, invisíveis aos simples mortais (ou imortais?):

> Era, em suma, toda uma revolução nas ideias e nas crenças; fazia-se mister, portanto, andar com a maior circunspecção e não levianamente; ser positivista e não idealista, para não me deixar iludir.

Testemunhos como os de Victor Hugo — e o apoio permanente de Amélie — estimulavam Rivail a ir em frente. E sua convicção aumentava com as notícias de que as mesmas informações sobre a dinâmica de mundos invisíveis começavam a se revelar em outras sessões de mesas girantes mundo afora, conduzidas ou testemunhadas por "pessoas sérias, honradas, instruídas e dignas".

Quanto mais perguntas lançava ao invisível e mais respostas consistentes obtinha do "lado de lá", mais Rivail se irritava com o tratamento dado pela ciência aos novos fenômenos. Faraday e Chevreul, por exemplo, não poderiam ter chegado tão rápido a conclusões tão definitivas sobre a inexistência de forças invisíveis nas manifestações das mesas. Faltavam a estas pesquisas, supostamente científicas, três qualidades básicas: continuidade, regularidade e isenção.

Rivail protestava e avançava, fiel a uma linha de conduta radical: "Melhor rejeitar dez verdades como sendo mentiras do que aceitar uma única mentira como sendo verdade."

E, CONTUDO, ELAS SE MOVEM

Para filtrar e organizar as mensagens do além — e tentar identificar verdades e mentiras neste intercâmbio —, o professor virava noites e abria mão de férias e fins de semana. O volume de anotações e a qualidade dos textos ganhavam força e consistência, a cada sessão:

> — O que se torna a alma no instante da morte?
>
> — A alma, que havia deixado o mundo dos espíritos para vestir o envoltório corporal, deixa o envoltório no momento da morte e volta a ser, num instante, espírito.

Amélie acompanhava o marido nas reuniões e o ajudava na revisão das mensagens escritas a jato em meio às batidas das mesas e aos espasmos e solavancos das *corbeilles* sobre as páginas em branco. Desconfiada no início, ela foi ganhando confiança ao se deparar com diálogos como estes, saídos das mãos miúdas de Caroline e Julie, com idade para serem suas netas e maturidade intelectual para serem suas alunas:

> — A alma, depois da morte, conserva sua individualidade?
>
> — Sim, não a perde nunca. Tinha-la antes da encarnação; conserva-la durante a união e depois da separação do corpo.

Rivail costumava fazer as mesmas perguntas às irmãs Baudin e à senhora Plainemaison — em dias, horários e endereços diferentes — e já não se surpreendia quando as respostas se repetiam, palavra por palavra, como se viessem da mesma fonte, e não das mãos, mesas e cestos manipulados pelas adolescentes ou pela velha senhora, com idades e formações culturais tão distintas.

Depois de meses de checagens e rechecagens, provas e contraprovas, críticas e autocríticas, as dúvidas que atormentavam Rivail deram lugar a uma convicção: a origem de todas aquelas informações (muitas delas desconhecidas até mesmo por ele) só poderia ser o invisível. Ou melhor: os espíritos. E espíritos de todos os níveis. Frívolos, elevados, levianos, sublimes, profundos, triviais — falíveis ou admiráveis como qualquer mortal.

Espíritos tão confiáveis quantos os vivos. Ou seja: era preciso tomar cuidado com eles.

A convivência com o divertido e às vezes um tanto fútil Zéfiro levou Rivail a uma conclusão básica: a opinião dos interlocutores invisíveis deveria ter o valor de uma crença pessoal e não a força de uma verdade absoluta, ditada por supostos espíritos superiores. Eles seriam "fontes de informação" e não "reveladores predestinados", e as mensagens que transmitiam deveriam ser confrontadas e avaliadas com bom senso e discernimento.

Convencido da existência de espíritos, Rivail passou então à segunda etapa de sua investigação: desvendar o nebuloso processo de intercâmbio com o além.

Como definir, por exemplo, as irmãs Baudin, a sra. Plainemaison, a sra. Girardin e outros anfitriões, de ambos os sexos, encarregados de intermediar diálogos entre vivos e mortos para deleite, descrença, diversão, instrução ou consolo de milhares de testemunhas ávidas por notícias do além?

"Médium" — este era o nome correto, anunciou Rivail, após uma nova rodada de entrevistas com os colaboradores invisíveis. Médium: meio, intermediário entre os espíritos e os homens — definiu.

E por que só em torno destes médiuns as mesas, cestas, lápis e ponteiros de ardósia se moviam? Por que o próprio Rivail, por exemplo, não seria capaz de pôr no papel as lições do além sem necessidade de intermediários? Causas físicas e morais — "ainda imperfeitamente conhecidas", segundo o professor — seriam as responsáveis por este dom, que deveria também ser exercitado.

Foram necessários dez meses de incessantes diálogos com o invisível e de pesquisas complementares para que o professor Rivail desenvolvesse as bases do que definiria, mais tarde, como ciência espírita.

Primeiro, os "nãos":

- Não era o espírito quem movia as mesas com as próprias mãos e as lançava de um lado ao outro com os próprios braços. Motivo: seu corpo era fluídico e não poderia exercer uma ação muscular direta sobre os objetos.
- Não era o médium quem usava o próprio fluido, ou mesmo as próprias mãos, para transmitir mensagens através de mesas ou cestos. Um dos motivos: médiuns como as irmãs Baudin não teriam cultura para dar determinadas respostas. O conhecimento viria de inteligências estranhas.

Como então o espírito, ou "ser invisível", atuaria sobre a matéria inerte? Simples (ou não tão simples assim): através dos fluidos do médium. A combinação dos dois fluidos (do espírito e do médium) seria responsável pela dança das mesas.

> O espírito satura a mesa com seu próprio fluido, combinado com o fluido animalizado do médium. Por esse meio, a mesa fica momentaneamente animada de uma vida fictícia: então obedece a vontade, como o faria um ser vivo; por seus movimentos exprime alegria, cólera e os diversos sentimentos do espírito que dela se serve.

O mesmo aconteceria com o cesto, com o lápis e com as próprias mãos do médium nesses ditados do além. O fluido universal seria a matéria-prima de tantos fatos inexplicáveis — "veículo e agente de todos os fenômenos espíritas", como escreveria Rivail.

Tudo parecia se encaixar. Tudo fazia sentido para o velho professor... E tudo parecia completamente absurdo para a maioria dos cientistas e jornalistas da época: mesas que contrariavam as leis da gravidade, mensagens inconsistentes saídas de cestos manipulados, jovens histéricas (palavra muito em voga na época) ávidas por chamar atenção e fluidos magnéticos caquéticos em ação em pleno apogeu da ciência.

Era preciso, sim, caminhar com "circunspecção" nesse território nebuloso, mas nem sempre Rivail conseguia manter a moderação diante da descrença alheia.

Quando os críticos insistiam em menosprezar e ridicularizar a dança das mesas, ele recorria à frase que Galileu teria dito ao sair do tribunal, logo depois de condenado pelo Santo Ofício pela heresia de afirmar que a Terra girava: "*Eppur si mueve!*"

E, contudo, elas se movem...

Para ti, sou a verdade

A cada nova revelação, Rivail ficava mais convencido da necessidade de compartilhar com o público as informações recolhidas naquele longo processo de entrevistas com o invisível. Um novo livro ganhava corpo nessa maratona exaustiva. Amélie apoiava os esforços do marido, sem saber que faltava pouco para ele mudar de vida... e de nome.

Nessa época, o casal morava num apartamento de fundos na rua des Martyrs, número 8, segundo andar. E foi lá, durante a noite, enquanto passava a limpo as informações do dia, que Rivail foi surpreendido por uma série de pequenas pancadas na parede. No início, não deu atenção aos ruídos e continuou a escrever.

Com o tempo, as pancadas ficaram mais fortes e passaram a se espalhar por toda a parede. O ruído só parava quando Rivail interrompia o trabalho para investigar sua origem, e logo voltava quando ele retomava a escrita.

Às dez da noite, Amélie, recém-chegada, entrou no escritório, preocupada. O que estava acontecendo? Rivail não sabia responder.

Paris estava em obras, revirada pelas reformas comandadas pelo barão Georges-Eugène Haussmann, nomeado prefeito do departamento do Sena por Napoleão III, três anos antes. Ele mesmo se intitulara

"Artista da Demolição" enquanto derrubava prédios para abrir ruas, transformava ruas em avenidas e quarteirões em bulevares.

Tanto barulho poderia ser consequência de marteladas tardias, estalos provocados por rachaduras subterrâneas ou mesmo de ratos entranhados nos forros do imóvel. O casal vasculhou cada cômodo do apartamento, saiu ao corredor em busca de pistas, e nada. Bastava Rivail voltar a escrever para que a bateção interrompesse seu trabalho de novo. O barulho continuaria até meia-noite, quando Rivail desistiu e foi dormir.

O mistério seria desvendado no dia seguinte, em nova sessão na casa das irmãs Baudin, com a presença de Zéfiro e de um acompanhante ilustre. Era 25 de março de 1856, e a *corbeille* trabalhou rápido para dar explicações ao professor Rivail:

— Qual a causa daquelas pancadas?
— Era o teu espírito familiar.
— Com que fim foi ele bater daquele modo?
— Queria comunicar-se contigo.
— E quem é este espírito?
— Pode perguntar a ele. Ele está aqui.

Rivail tomou fôlego e conduziu a conversa com o máximo de cordialidade — e formalidade — possível:

— Meu espírito familiar, quem quer que tu sejas, agradeço-te pela visita. Consentirás em dizer-me quem és?

O silêncio tomou conta da sala enquanto o lápis percorria o papel.

— Para ti, chamar-me-ei A Verdade, e todos os meses, aqui, durante um quarto de hora, estarei à tua disposição.
— Ontem, quando bateste, tinhas algo particular a dizer-me?

A *corbeille* se moveu de novo:

— Desagradava-me o que escrevias e quis fazer que o abandonasses.

— A vossa desaprovação dizia respeito ao capítulo que eu escrevia ou ao conjunto do trabalho?

— Ao capítulo de ontem: submeto-o ao teu juízo; se o releres, reconhecerás tuas faltas e as corrigirás.

Rivail já tinha revisado os originais, mas não o suficiente, segundo o copidesque do além:

— O texto está melhor, mas ainda não satisfaz. Relê da terceira à trigésima linha e depararás com um grave erro.

Rivail disse ter rasgado os originais da véspera, e o lápis então se moveu rápido sobre o papel para completar uma frase um tanto ríspida:

— Não importa! Isso não impediu que a falta continuasse. Relê e verás!

Melhor acatar e mudar de assunto. E Rivail, curioso, tentou descobrir mais sobre a identidade de seu novo guia:

— O nome Verdade, que adotaste, constituiu uma alusão à verdade que procuro?

— Talvez. Serei ao menos um guia que te protegerá e ajudará.

As visitas mensais anunciadas pelo visitante no início da conversa pareceram pouco a Rivail, imerso num emaranhado de perguntas e respostas.

— Poderei evocar-te em minha casa?

— Sim, para te assistir pelo pensamento; mas só daqui a muito tempo poderás obter respostas escritas em tua casa.

Ou seja: os fluidos das irmãs Baudin ainda seriam necessários como canais de comunicação. Insistente, Rivail voltou ao assunto sobre a identidade secreta de seu guia:

— Terás animado na Terra alguma personagem conhecida?

A resposta veio seca mais uma vez:

— Já te disse que, para ti, sou a Verdade; isto, para ti, quer dizer discrição; nada mais saberás a respeito.

Ao voltar para casa, o professor Rivail identificou um erro crasso na trigésima linha de um capítulo escrito sobre a manifestação de espíritos e o corrigiu. A julgar pelo silêncio naquela noite, fez um bom trabalho.

Duas semanas depois, em 9 de abril, reencontrou seu guia na casa da família Baudin e ouviu novos conselhos. O capítulo tinha melhorado, sim, mas convinha ainda esperar antes de divulgar qualquer texto. E era preciso também resguardar ao máximo os originais. Quando alguém pedisse para ler os escritos, o mais seguro a fazer seria encontrar uma boa desculpa para a recusa.

— Daqui até lá (a publicação), melhorarás este trabalho. Faço-te esta recomendação para te poupar a crítica; é do teu amor-próprio que cuido.

Mal a cesta parou, já teve de se mover de novo para responder outra questão, uma preocupação pessoal do professor:

— Dissestes que serás para mim um guia, que me ajudará e me protegerá (...). Poderias dizer-me se essa proteção também alcança as coisas materiais da vida?

A resposta veio suave desta vez:

— Neste mundo a vida material importa muito; não te ajudar a viver seria não te amar.

Amélie, presente à sessão, ficou aliviada. Quem sabe a vida não melhoraria?

Missão perigosa

Rivail trabalhava duro para se recuperar de uma série de baques financeiros, iniciada muitos anos antes. Em 1834, teve de vender sua parte no colégio que fundara, o Instituto de Ensino Rivail, por causa de uma dívida acumulada por seu tio, sócio capitalista, viciado em jogos. Recebeu 45 mil francos pelo negócio e decidiu confiar toda a soma — pequena fortuna na época — a um amigo investidor. Meses depois, este amigo faliu e perdeu tudo, inclusive o dinheiro de Rivail.

Para pagar as contas, o professor passou a cuidar, durante o dia, da contabilidade de três empresas (entre elas, o teatro Les Folies Marigny) — que lhe rendiam cerca de 7 mil francos por ano — e a escrever, durante a noite, gramáticas e aritméticas, enquanto preparava cursos, corrigia provas... e também se arriscava no terreno teatral.

Poucos alunos ou colegas de ensino do compenetrado professor Rivail sabiam, mas uma versão abreviada de suas iniciais — H. Rivail — estampara, em 1843, os cartazes de uma peça intitulada *Une passion de salon* (*Uma paixão de salão*), comédia romântica de um ato, com treze cenas ligeiras, escrita a quatro mãos com o jovem dramaturgo Léonard Gallois.

O “salão” citado no título da obra era o Louvre. Nas galerias do museu, o protagonista da peça — o jovem e um tanto insolente Félicien

— fora arrebatado por uma paixão fulminante. O alvo de tanto furor: uma jovem retratada numa das telas em exposição. Para se aproximar de sua paixão, contratou os préstimos do renomado pintor responsável pela obra-prima, sem saber que o alvo de sua cobiça era irmã do artista ambicioso. Tudo muito divertido e romântico, mas nada lucrativo.

A situação financeira do casal de educadores só piorou quando Luís Bonaparte, sobrinho de Napoleão I, venceu as eleições presidenciais em 1848, com o apoio decisivo do partido clerical. Logo após a vitória abençoada pelo Vaticano, um novo projeto de lei sobre o ensino entrou em votação, sob a supervisão do ministro da Instrução Pública e dos Cultos, o conde de Falloux, aliado do papa e defensor intransigente do poder da Igreja Católica em matéria de disciplina, fé e educação.

Após a aprovação da nova lei, as escolas católicas passaram a receber todo o apoio do clero e do novo presidente — logo autoproclamado imperador Napoleão III, com as bênçãos dos bispos e cardeais. Com recursos financeiros quase ilimitados, 257 escolas secundárias católicas foram fundadas de 1850 a 1852, enquanto as laicas fechavam as portas.

Nas instituições de ensino do Segundo Império, o mestre tornou-se, cada vez mais, um subordinado do sacerdote. Párocos passaram a fiscalizar as escolas, e professores foram forçados a recitar o catecismo e a zelar pela moral cristã em sala de aula, independentemente da fé — ou da falta de fé — de seus alunos.

Quem se recusasse a seguir as novas regras — e a prestar juramento de fidelidade ao novo imperador — era demitido. Mais de oitocentos mestres foram afastados de suas funções logo após o golpe de Estado. Ao discípulo de Pestalozzi só restou abandonar o magistério depois de trinta anos de ensino.

Durante todo o tempo, Amélie esteve ao lado do marido e, com o suporte do pai, tabelião e próspero proprietário de terras, ajudou Rivail a complementar a renda mensal obtida com a venda dos livros pedagógicos — cada vez mais escassa no novo regime — e com os bicos como contador.

O apoio material prometido pelo guia espiritual seria, portanto, muito bem-vindo.

Pouco antes da providencial aparição de seu protetor, o professor cogitara abandonar o terreno espinhoso das investigações do além. Só não foi em frente porque reencontrou o velho amigo Carlotti e recebeu de suas mãos nada menos do que cinquenta cadernos repletos de mensagens.

O calhamaço de textos escritos a lápis veio da casa do sr. Roustan, na rua Tiquetonne, número 14, pelas mãos de outra sonâmbula — ou melhor, médium: Ruth Japhet, então com 19 anos.

Difícil recusar uma oferta daquelas em pleno processo de pesquisa. Rivail aceitou o presente e a responsabilidade delegada por Carlotti: avaliar, condensar e organizar o material reunido ao longo de cinco anos de sessões conduzidas pelo linguista e um grupo de colaboradores ilustres — o professor e lexicógrafo Antoine Léandre Sardou, o futuro membro da Academia Francesa Saint-René Taillandier, o livreiro Pierre-Paul Didier e o filósofo Tiedeman-Marthèse, primo-irmão da rainha da Holanda.

Muitas das mensagens reunidas nos cadernos traziam respostas a questões já tratadas por Rivail nos encontros com as irmãs Baudin, e ajudaram o professor a confirmar ou corrigir determinadas informações. Com fôlego renovado e com o apoio dos amigos, ele passou a frequentar também as sessões da rua Tiquetonne.

A revisão final dos textos do além foi conduzida ali em diálogos com o invisível intermediados por Ruth Japhet, lápis à mão ou à cesta, veloz e certeiro.

Numa dessas sessões, em 30 de abril de 1856, Rivail levou um susto. A cesta se voltou em sua direção — como se apontasse o dedo para ele — e o lápis colocou no papel uma mensagem enigmática: "Quanto a ti, Rivail, a tua missão aí está: és o obreiro que reconstrói o que foi demolido."

No dia 12 de junho de 1856, o Espírito da Verdade voltou a se manifestar, agora pela escrita de outra médium, Aline C., e Rivail aproveitou para pedir detalhes sobre a missão ainda nebulosa. Desta vez, tudo ficou mais claro... e mais assustador. Caberia a ele organizar e divulgar uma nova doutrina, capaz de revolucionar o pensamento científico, filosófico e religioso. Tanta responsabilidade — e tanta honra — preocuparam ainda mais o professor.

— Dize-me, peço-te, é uma prova para o meu amor-próprio?

Ele queria, sim, contribuir para a "propagação da verdade" — disse —, mas havia uma distância grande, e talvez perigosa, entre o papel de simples trabalhador e o de "missionário em chefe". O Espírito da Verdade confirmou a missão e recomendou discrição máxima a seu protegido:

— Nunca fales da tua missão: seria a maneira de a fazeres malograr-se. Ela somente pode justificar-se pela obra realizada e tu ainda nada fizeste. Se a cumprires, os homens saberão reconhecê-lo, cedo ou tarde, visto que pelos frutos é que se verifica a qualidade da árvore.

Ainda havia muito, ou melhor, tudo a fazer, e os riscos de fracasso eram grandes.

— Não esqueças que podes triunfar, como podes falir. Neste último caso, outro te substituirá, porquanto os desígnios de Deus não assentam na cabeça de um homem.

Rivail questionou:

— Que razões me fariam fracassar? Seria a insuficiência das minhas aptidões?

Ele guardaria — e releria — a longa resposta até o fim da vida:

— A missão dos reformadores é repleta de obstáculos e perigos. Previno-te de que a tua é rude, pois se trata de abalar e transformar o mundo inteiro. Não suponhas que te baste publicar um livro, dois livros, dez livros, para em seguida ficares tranquilamente em casa.

Seria preciso sair do gabinete e ir ao campo de batalha:

— É necessário que te mostres no conflito. Ódios terríveis serão açulados contra ti, implacáveis inimigos tramarão tua perda; ver-te-ás a braços com a malevolência, com a calúnia, com a traição mesma dos que te parecerão os mais dedicados; as tuas melhores instruções serão desprezadas e falseadas; por mais de uma vez sucumbirás sob o peso da fadiga.

A julgar pelas previsões do protetor espiritual, a vida do professor seria marcada por uma sucessão de sacrifícios: do repouso, da tranquilidade, da saúde e da própria vida.

Para lidar com tantos perigos e sacrifícios, o Espírito da Verdade recomendou ao discípulo uma série de cuidados e qualidades: humildade, modéstia, desinteresse, coragem, perseverança, devotamento, abnegação, firmeza inabalável, prudência e tato, para não comprometer o sucesso com atos ou palavras intempestivas.

Mas nem tudo estava perdido. Rivail tinha direito, sim, de recusar esta missão nada tentadora.

— Tens o teu livre-arbítrio. Cabe a ti usá-lo como entendes. Nenhum homem está constrangido a fazer fatalmente uma coisa.

Rivail leu as "cláusulas" do contrato e assinou embaixo. Ou melhor, disse em alto e bom som, diante das testemunhas presentes:

— Aceito tudo sem restrição.

Dez anos e meio depois, ao reler esta mensagem, Rivail confirmaria, ponto a ponto, cada alerta do guia. Sua vida estava prestes a mudar radicalmente com a publicação de *O livro dos espíritos*.

PARTE III

No campo de batalha

O NOME DE GUERRA

Com o cuidado de quem já tinha escrito e lançado mais de vinte livros didáticos, Rivail se dedicou a burilar os ditados do além para torná-los claros e atraentes. O formato que adotou, típico da filosofia clássica, foi o de listar perguntas e respostas enumeradas, lado a lado, na mesma página.

Na coluna da esquerda, as interrogações lançadas aos espíritos, acompanhadas de respostas curtas, "textuais", atribuídas ao invisível. Na coluna da direita, versões ampliadas de cada resposta, revisadas pelo professor. Ao todo, 501 diálogos curtos sobre os mais diversos temas, subdivididos em 916 blocos de perguntas e respostas.

A questão 211, por exemplo, englobaria nove pingue-pongues ligeiros, sobre o papel do médium e sua formação:

> — A faculdade de escrever sob a influência de espíritos é dada a toda a gente?
>
> Não, não no presente; mais tarde sim, toda a gente possuirá essa faculdade.
>
> — Que condição deverá a humanidade adquirir para que tal faculdade venha a ser geral?
>
> Quando os homens estiverem transformados e melhores, obterão essa faculdade e muitas outras de que não gozam por sua inferioridade moral.

Em seguida, uma resposta atravessada:

> — Essa transformação humana se dará aqui na Terra, ou não se produzirá senão em mundos melhores?
>
> Acabamos de dizê-lo; ela começará aqui na Terra.

Fé, prática, vocação? O que tornaria, afinal, o homem um médium atuante?

> — A faculdade de escrever é espontânea ou também é suscetível de se desenvolver pelo exercício?
>
> Uma e outra coisa; ela exige não raro paciência e perseverança, pois que é o desejo constante do médium que ajuda os espíritos a virem pôr-se em comunicação convosco.
>
> — A fé é necessária para se adquirir a faculdade de médium escrevente?
>
> Nem sempre. Muitas vezes com a fé não se escreve e sem ela se escreve; todavia, a fé vem depois. Isso depende dos planos da providência.

Rivail tentava ser o mais didático possível, para atingir o maior número de leitores — crentes e descrentes, iniciados e leigos:

> — O médium escrevente jamais tem consciência do que escreve?
>
> Jamais não é o termo, pois acontece muitas vezes que ele vê, percebe e compreende enquanto escreve.

O diálogo 211 incluiria ainda outras duas questões sobre a escrita — às vezes ilegível — dos médiuns:

> — Quando o escrito é indecifrável, de que modo o médium o pode ler ele próprio?
>
> Por uma espécie de lucidez, ou então é o espírito quem lhe revela.
>
> — E que conclusão podemos tirar da mudança de caligrafia na escrita do médium?
>
> Espíritos diferentes que se comunicam.

Estes diálogos entre "vivos" e "mortos" ocupariam 176 páginas, divididas em 24 capítulos, nesta primeira versão.

O trabalho avançava rápido e livre de pancadas invasoras no meio da noite.

No dia 17 de junho de 1856, o Espírito da Verdade voltou à cena na casa das irmãs Baudin para recomendar novos ajustes e cuidados:

> — O que foi revisto está bom; mas, quando a obra estiver acabada, deverá tornar a revê-la, a fim de ampliá-la em certos pontos e abreviá-la noutros.

Se dependesse só de Rivail, o livro seria bem mais longo, mas, de acordo com o guia, ele deveria guardar determinadas revelações para um momento mais oportuno, quando o leitor estivesse preparado para elas:

> — Por mais importante que seja este primeiro trabalho, ele não é, de certo modo, mais do que uma introdução.

A mensagem terminava com conselhos táticos ao combatente:

> — Vê, observa, sonda o terreno, dispõe-te a esperar e faze como o general cauteloso que não ataca, senão quando chega o momento favorável.

Com a devida cautela, Rivail deixou para escrever por último o texto de apresentação do livro. Chegara o momento de dar nome e sobrenome à nova doutrina, e ele dividiu com os leitores a lógica deste batizado: "Para coisas novas é preciso ter palavras novas" — iniciou o prefácio, com cuidados de pedagogo.

As palavras "espiritual", "espiritualista" e "espiritualismo" já tinham significados bem conhecidos desde a Antiguidade. Os espiritualistas

— "opostos aos materialistas" — acreditavam que o corpo é mais do que mera carne, mas nem todos apostavam na existência de espíritos ou na possibilidade de comunicações com o chamado mundo invisível, *verdades* defendidas pela nova doutrina.

Como chamar então esta nova corrente espiritualista?

O nome veio a público pela primeira vez, impresso em papel, na introdução de *O livro dos espíritos*:

> Em lugar das palavras *espiritual* e *espiritualismo*, empregamos, para designar esta referida crença, os vocábulos espírita e espiritismo.

A seguir, uma definição sucinta, que o professor iria aprofundar — e defender — em novos livros e artigos:

> A crença espírita, ou o espiritismo, consiste em acreditar nas relações entre o mundo físico e os seres do mundo invisível ou espíritos.

Os créditos impressos na capa de *O livro dos espíritos* não deixariam dúvidas quanto à autoria da obra: "Escrito e publicado conforme o ditado e a ordem de espíritos superiores."

E até mesmo a ilustração de abertura da primeira edição seria obra do além. Uma espécie de logomarca, ou melhor, símbolo da nova doutrina, desenhada por uma das médiuns. Em vez da cruz católica, a cepa de vinha, "símbolo da criação do homem por Deus": "O corpo é a cepa; a alma é o bago; o espírito, enfim, é o vinho."

A campanha de marketing estava pronta, e o professor não seria nada comedido ou cauteloso — como recomendara o Espírito da Verdade — ao vender o conteúdo do livro num longo subtítulo: "Os princípios da doutrina espírita. Sobre a natureza dos espíritos, suas manifestações e relações com os homens; as leis morais, a vida presente, a vida futura e o destino da humanidade."

De uma vez só, proclamava a nova doutrina, sacramentava a existência de espíritos e anunciava revelações sobre o futuro da humanidade, sem mencionar as vertiginosas e já um tanto entediantes mesas girantes.

Mas quem procurasse as iniciais do discípulo de Pestalozzi logo abaixo do subtítulo não as encontraria. Em vez do renomado educador "H.L.D. Rivail", um ilustre desconhecido ganhou destaque na capa do livro, em negrito e caixa alta, como responsável por organizar o ditado do além:

ALLAN KARDEC

Em carta enviada ao amigo Tiedeman, o professor mediu cada palavra para justificar a adoção de um pseudônimo:

> Lancei mão de um artifício, uma vez que dentre cem escritores há sempre ¾ que não são conhecidos por seus nomes verdadeiros.

Mas aquele não seria um artifício qualquer: "O pseudônimo Allan Kardec guarda uma certa significação, podendo eu reivindicá-lo como próprio em nome da doutrina."

A decisão teria sido tomada com o aval de diferentes espíritos, através de diversos médiuns:

> Digo mais: ele engloba todo um ensinamento cujo conhecimento por parte do público reservo-me o direito de protelar.

Só mais tarde, Rivail revelaria os bastidores da origem de seu novo batizado, também testemunhado por Amélie. O nome foi revelado a ele por Zéfiro, em sessão na casa das irmãs Baudin, e carregava a história de outras vidas em suas onze letras.

O espírito brincalhão e o compenetrado professor teriam convivido e trabalhado juntos como druidas, nas Gálias, na época do imperador

Júlio César, entre 58 e 44 anos antes de Cristo. Naqueles tempos de dedicação ao ensino e à filosofia na sociedade celta, este era o nome de Rivail: Allan Kardec.

Para quem não acreditava em espíritos ou em vidas passadas — a exemplo do juiz que conduziria o temível "processo dos espíritos" anos depois —, a história era bem mais simples: o professor inventara o pseudônimo para resguardar seus livros didáticos de possíveis boicotes do governo.

Com a adoção da nova identidade, Rivail pretendia, sim, demarcar as duas fases de sua vida: a de educador laico, autor de obras adotadas em escolas e universidades da França, e a de divulgador das novas *verdades* reveladas pela doutrina espírita.

Mas, se sua intenção era preservar a própria identidade, a estratégia daria errado.

Hippolyte Léon Denizard Rivail tinha 53 anos quando se tornou Allan Kardec, uma figura cada vez mais conhecida e visada. Desde o início, *O livro dos espíritos* teve, para ele, a força de uma nova certidão de nascimento, pública e notória.

O livro dos Espíritos

No dia 11 de setembro de 1856, o cesto se moveu na casa das irmãs Baudin e uma mensagem animadora chegou do além:

> — Compreendeste bem o objetivo do teu trabalho. O plano está bem concebido (...). Estamos satisfeitos e nunca te abandonaremos. Crê em Deus e avante.

A comunicação trazia a seguinte assinatura: "Muitos Espíritos".

No dia 17 de abril de 1857, Zéfiro também se manifestou pelas mãos de Caroline Baudin. Desta vez, seu tom era bem mais sóbrio e comedido:

> — Não te deixas arrastar pelos entusiastas, nem pelos muito apressados. Mede todos os teus passos, a fim de chegares ao fim com segurança. Não creias em mais do que aquilo que vejas; não desvies a atenção de tudo o que te pareça incompreensível.

A mensagem poderia ter sido assinada pelo Espírito da Verdade, inclusive pelas revelações seguintes, nada animadoras:

— Mas, ah!, a verdade não será conhecida de todos, nem crida, senão daqui a muito tempo! Nessa existência não verás mais do que a aurora do êxito da tua obra. Terás que voltar, reencarnado noutro corpo, para completar o que houveres começado (...).

Rivail foi em frente.

Na manhã de 18 de abril de 1857, 1.500 exemplares da obra começaram a ser vendidos em Paris, com a chancela do editor Pierre-Paul Didier, por 3 francos cada um. Em dois meses — para surpresa de Rivail, ou melhor, de Allan Kardec —, a primeira tiragem já estava esgotada.

Os espectadores dos fenômenos das mesas girantes e dos cestos escreventes, ou mesmo os críticos de diversões ou ilusões fúteis como aquelas, encontraram nas páginas do livro perguntas e respostas desconcertantes, divididas em três partes: "Doutrina espírita" (com dez capítulos), "Leis morais" (onze capítulos) e "Esperanças e consolações" (três capítulos).

A primeira pergunta da série era quase uma resposta aos católicos que encaravam como heresia ou satanismo o ato de consultar os mortos:

— O que é Deus?
Deus é a suprema Inteligência, causa primeira de todas as coisas.

A segunda questão era tão cristã quanto a primeira:

— Onde encontrar a prova da existência de Deus?
Basta lançar os olhos sobre as obras de sua criação.

Difícil imaginar começo menos herético. Mas nem tudo era tão apostólico assim. As definições básicas do glossário do além levavam o leitor para bem longe do mundo de anjos e demônios, exorcismos e excomunhões, missas de ação de graça e lutos fechados dos ritos católicos e protestantes.

De acordo com a nova doutrina, o homem seria formado por três dimensões: o corpo denso, "de carne"; a alma imaterial, "dona do corpo"; e o liame, intermediário entre alma e corpo, que une a carne ao espírito (o "perispírito").

Em resumo: alma, ser imaterial e individual que reside em nós e sobrevive ao corpo; mundo espírita, mundo eterno, preexistente e sobrevivente a qualquer outro; e mundo corporal, secundário, que poderia deixar de existir, ou nem mesmo ter existido, sem alterar a essência do mundo espírita.

Um mundo novo — e eterno — se descortinava a cada página.

Eram muitas as boas-novas: a morte não é o fim, mas um recomeço; a Terra é apenas um dos mundos habitados neste universo infinito, e está longe de ser o mais evoluído deles; estamos de passagem por este planeta para resgatar dívidas de existências anteriores, cumprir missões e renascer, em seguida, em outros estágios de evolução, num processo constante de aprendizado rumo à perfeição; o corpo no caixão é pura carne, mero cadáver; a vida real, verdadeira, está fora dele, no espírito liberto do peso da matéria.

Mas de onde viriam tantas revelações?

No capítulo final do livro, Rivail deu nome e sobrenome aos ilustres colaboradores invisíveis.

Que a Igreja o perdoasse, mas João Evangelista — ele mesmo, um dos doze apóstolos de Cristo — e Vicente de Paulo, o sacerdote santificado pelo papa no século anterior, estavam na lista de comunicantes, ao lado do teólogo católico liberal François Fénelon, morto no século anterior.

Que a ciência se conformasse, mas o renomado Benjamin Franklin, inventor do para-raios e das lentes bifocais, e o controvertido matemático espiritualista Emanuel Swedenborg também contribuíram para as novas revelações, acompanhados por dois médicos contemporâneos de Rivail, recém-falecidos, o alemão Samuel Hahnemann, considerado o pai da homeopatia, e o cirurgião francês Guillaume Dupuytren.

A relação de celebridades reunia ainda o todo-poderoso imperador Napoleão I, tio do católico Napoleão III, agora no poder, e o filósofo ateniense Sócrates, condenado à morte pelo crime de "não aceitar os deuses reconhecidos pelo Estado" na Atenas de quatro séculos antes de Cristo.

O misterioso Espírito da Verdade não foi citado uma única vez. Talvez integrasse uma outra categoria mencionada por Kardec entre seus colaboradores do além: "Os demais habitam esferas elevadas, não viveram na Terra ou aqui apareceram em época muito remota."

Sim, os mortos estavam vivos... E felizes pela oportunidade de fazer contato.

> Capítulo II — "Ventura e desventura na Terra"
>
> Como é agradável poderdes entrar em comunicação com vossos amigos pelos meios que tendes e que se propagam mais e mais todos os dias, enquanto esperais obter outros mais diretos e mais acessíveis aos vossos sentidos. (...) A possibilidade de entrar em comunicação com os espíritos é uma agradabilíssima consolação, pois nos proporciona o meio de nos entretermos com os nossos parentes e amigos que deixaram a Terra antes de nós.

Em todos os cantos da atormentada Paris, mais e mais gente lia, sublinhava, estudava e divulgava as boas-novas. Sofrimento? Expiação. Morte? Separação provisória.

Uma sensação de alívio acompanhava a leitura de trechos como este:

> Capítulo VII — "Múltiplas encarnações"
>
> — Que acontece à alma da criança morta em tenra idade?
>
> Reentra em outro corpo para recomeçar nova existência.

Em espírito, pais e filhos, viúvos e órfãos, unidos por vínculos imortais, se reencontrariam ao longo dos tempos, a cada existência, numa sucessão de múltiplas encarnações. E todas as dores da vida não seriam em vão. A cada renascimento, seríamos recompensados se fizéssemos a nossa parte, de acordo com a lei moral número um: "Não fazeis aos outros aquilo que não quereis que os outros vos façam."

Uma frase do escritor Goethe, extraída de *As afinidades eletivas*, de 1809, resumiria toda a lógica desta dinâmica infinita: "Nascer, morrer, renascer ainda e progredir sem cessar. Esta é a lei."

Este seria o epitáfio inscrito no suntuoso mausoléu erguido em homenagem a Allan Kardec no cemitério do Père-Lachaise, doze anos depois.

Traições

Até lá seriam anos de provações, bem de acordo com o roteiro traçado pelo Espírito da Verdade. Ao lançar *O livro dos espíritos* e assumir a identidade de Allan Kardec, Rivail se preparou para contra-ataques da ciência, da imprensa e da Igreja.

Já no texto de introdução da obra, antecipou-se às críticas para desafiar os *antagonistas*. Não por acaso intitulou seu petardo como "Refutação de várias objeções" — título a ser eliminado na segunda edição do livro.

> Queiram os detratores lançar o olhar justo sobre os adeptos da crença espírita e hão de ver se entre eles só se acham ignorantes, e se o número imenso de homens de mérito e respeito que a abraçaram lhes permitirá legá-la ao rol das crendices de gente à toa. Deles, pelo caráter e pelo saber, vale talvez bem a pena dizer-se: uma vez que tais homens afirmam, é preciso que haja ao menos alguma coisa

Contra os cientistas que renegavam os fenômenos espíritas, Kardec lançou duas acusações: preconceito contra "coisas desconhecidas" e apego estreito à própria especialidade, sem considerar novas causas e novos efeitos:

> O homem que tem uma especialidade nela incrusta todas as suas ideias. (...) Por isso consultarei de bom grado e com toda confiança um químico sobre uma análise química, um físico acerca de energia elétrica e um mecânico sobre a força motora; mas os doutos me queiram permitir (...) que eu dê tanta atenção à opinião negativa deles sobre o espiritismo quanto dou ao julgamento de um arquiteto sobre uma questão da música.

As primeiras reações indesejáveis vieram logo após a publicação do livro, e de onde o professor menos esperava: dos próprios colaboradores. Ao lançar sua obra — ou, melhor, a obra dos espíritos superiores —, Rivail não dera qualquer crédito às irmãs Caroline e Julie Baudin, a Ruth Japhet e a outros médiuns também consultados.

Ruth Japhet não se conformou. Pelas suas contas, três quartos do livro se deviam à sua mediunidade e a seus manuscritos, e a omissão a seu nome era, portanto, inadmissível. Em desabafo ao escritor russo Alexandre Aksakof, Ruth se queixaria de não ter ganho sequer um exemplar do livro e de não ter recebido seus manuscritos de volta quando os pediu ao professor.

Aksakof faria estas revelações em artigo publicado no jornal *The Spiritualist Newspaper*, em 1875. Rivail — morto seis anos antes — não pôde se defender, nem através de mensagens mediúnicas.

Dezoito anos depois da publicação de *O livro dos espíritos*, Ruth ainda estava inconformada com a falta de crédito e de consideração, mas em nenhum momento de sua entrevista renegou a comunicação com os espíritos nem a autenticidade das mensagens atribuídas ao além.

Aos amigos e colaboradores mais próximos, Rivail dera a seguinte explicação para a omissão dos nomes das médiuns no livro: queria preservar a identidade delas para poupá-las de exposição desnecessária. Além disso, a autoria da obra deveria ser atribuída aos espíritos e não aos intermediários — até mesmo para evitar riscos, como a vaidade e o orgulho, daninhos a quem se propusesse a servir de canal desinteressado com o além.

A julgar por uma das mensagens dos espíritos a Allan Kardec, impressa na primeira edição do livro — e também suprimida da segunda —, a relação do professor com o invisível ia bem além das intermediações de Ruth e assumia contornos um tanto invasivos:

> — Estaremos contigo todas as vezes que o pedires e tu estarás também às nossas ordens sempre que te convocarmos.

Em anotações pessoais — reveladas após sua morte, em *Obras póstumas* —, Rivail daria novos detalhes sobre esta parceria com o outro mundo:

> Mais de dez médiuns prestaram concurso a esse trabalho. Da comparação e da fusão de todas as respostas, coordenadas, classificadas e muitas vezes retocadas no silêncio da meditação, foi que elaborei a primeira edição de *O livro dos espíritos*.

Ao ser ignorada, desprezada ou simplesmente preservada por Rivail, Ruth Japhet talvez tenha se livrado dos riscos enfrentados por suas colegas americanas mais famosas: as irmãs Fox, consideradas por muitos as "precursoras do espiritualismo moderno". A celebridade custou caro para elas.

As irmãs Fox

Quando *O livro dos espíritos* começou a circular em Paris, as irmãs Kate, Maggie e Leah Fox já lidavam com diferentes dramas pessoais, acompanhados de perto por repórteres ávidos por investigar seus contatos barulhentos com o além e as possíveis fraudes por trás destes prodígios. Uma velha polêmica.

Nove anos já se tinham passado desde os primeiros fenômenos *sobrenaturais* registrados, em março de 1848, na fazenda onde as irmãs mais jovens, Kate e Maggie, moravam com os pais, John e Margaret Fox.

Kate tinha 11 anos e Maggie, 14, quando pancadas inexplicáveis passaram a sacudir a casa da família em Hydesville, vilarejo a oeste do estado de Nova York. Os sons vinham de todos os cantos, como se irrompessem de dentro das paredes.

Por volta das oito horas da noite de 31 de março, o ferreiro John Fox, pai das meninas, bateu à porta da casa dos vizinhos, Mary e Charles Redfield, para pedir socorro. Charles se recusou a sair em meio à nevasca, mas Mary não resistiu à curiosidade. "Se for mesmo um fantasma, terei uma conversa animada com ele" — foi o que disse ao seguir John.

Uma única vela iluminava o quarto ocupado pelos pais e pelas irmãs Fox. Kate e Maggie estavam abraçadas uma à outra, emboladas na cama, enquanto a mãe, Margaret, dava ordens ao invisível:

— Conte até cinco.

E cinco batidas se seguiam.

— Conte até dez...

Margaret pediu então para que o fazedor de barulhos invisível revelasse a idade de Mary Redfield, a vizinha. E todos contaram juntos as 33 pancadas.

— Se você for um espírito sofredor, manifeste-se com três batidas.

Toc, toc, toc.

As pancadas continuaram pela noite adentro e o movimento atraiu a atenção de outros vizinhos. Às nove da noite, doze curiosos já se acotovelavam na casa. Um deles, William Duesler, ex-inquilino do imóvel, passou a conduzir a conversa com o visitante misterioso.

A comunicação foi feita no ritmo do tatibitate alfabético — uma pancada, letra A, duas, letra B — e as frases telegráficas revelaram a seguinte história... O morto barulhento teria sido degolado cinco anos antes por um ex-morador da região, interessado na pequena fortuna acumulada por ele: 500 dólares, o equivalente a mais de um ano de trabalho de um trabalhador local. Seu corpo estaria enterrado no porão, a três metros de profundidade.

A notícia logo se espalhou e a casa virou uma espécie de centro de peregrinação, cercada de curiosos e repórteres. Visitantes chegavam de cidades próximas em busca de mensagens do além, católicos e protestantes esconjuravam os fenômenos como blasfêmia e céticos acusavam os Fox de fraude.

Liderados por David, filho do casal Fox que morava em uma fazenda vizinha, moradores da cidade iniciaram uma escavação no porão da casa assombrada em busca dos restos mortais da assombração. O resultado da expedição seria anunciado na primeira página do jornal local *Western Argus*:

> Pás e picaretas foram logo requisitadas e, após 3 metros de escavação, uma fonte de água pura jorrou e encheu o buraco do "fantasma".

Para escapar do assédio dos curiosos e da imprensa, John e Margaret se refugiaram com as filhas, às pressas, na fazenda de David. Mas um outro acompanhante pegou carona com o grupo: o espírito barulhento. As batidas não pararam no novo refúgio — pancadas, rangidos, estalos cada vez mais fortes.

Margareth descartava a hipótese, levantada por muitos, de que suas próprias filhas produzissem os ruídos de brincadeira, para assustar e chamar atenção. A pressão dos curiosos e dos céticos aumentava a cada dia. Para dar apoio aos pais, a outra filha do casal, Leah, então com 34 anos, saiu da cidade vizinha de Rochester e foi ao encontro das irmãs. Seu plano era simples: separar Kate e Maggie uma da outra. Quem sabe assim os barulhos não cessavam?

Leah voltou a Rochester com Kate, mas a situação só piorou. Os barulhos aumentaram na fazenda onde Maggie ficara e na casa de Leah. Na manhã seguinte à primeira noite com Kate, Leah relatou a seguinte cena:

> As mesas e tudo o mais no cômodo abaixo estavam se mexendo. As portas se abriam e fechavam, fazendo enormes estrondos. Então, eles subiram as escadas e entraram no aposento ao lado do nosso. Parecia haver muitos atores envolvidos nessa encenação e uma grande plateia presente. Ouvimos um espírito dançar como se estivesse usando tamancos, o que durou uns dez minutos.

As palavras usadas por Leah Fox em seu relato seriam quase premonitórias: "encenação", "grande plateia presente", "muitos atores envolvidos".

Semanas depois, Maggie se juntaria a Leah em Rochester e as duas se tornariam atrações públicas de um espetáculo pago.

Em 13 de novembro de 1849, uma terça-feira, o jornal *Daily Adviser* estampou o anúncio da primeira apresentação das irmãs Fox no maior teatro da cidade, o Corinthian Hall, com capacidade para 1.200 espectadores:

> As portas se abrirão às sete horas. A palestra terá início às sete e meia. Entrada: 25 centavos; 50 centavos garantem um cavalheiro e duas acompanhantes.

Kate, então com 12 anos, foi poupada de tanta exposição, e Leah — que, estranhamente, nunca manifestara qualquer poder sobrenatural — se uniu a Maggie no palco.

Os barulhos tomaram conta do teatro assim que as duas entraram em cena. Logo após a apresentação, começou o calvário das "médiuns". Um comitê de cinco homens, formado ali mesmo no teatro, foi incumbido de investigar a fundo a natureza dos fenômenos.

O primeiro teste foi realizado no dia seguinte, em sessão privada. O relatório sobre os resultados alcançados pelo comitê irritou os céticos ao ser lido em nova sessão no Corinthian Hall:

> Uma pessoa do comitê colocou uma das mãos sobre os pés das senhoras e a outra sobre o chão, e, embora os pés não tivessem se mexido, houve um nítido ruído no chão.
>
> No chão e no assoalho, o mesmo som foi ouvido — uma espécie de batida dupla bem nítida, como se fosse uma pancada com um ricochete.

Uma nova comissão, "mais rigorosa", foi formada e *novos métodos de investigação* foram adotados para evitar fraudes.

Deitadas sobre uma mesa, Maggie e Leah tiveram os pés imobilizados. Os cavalheiros amarraram cordas ao redor dos vestidos das irmãs e ataram seus tornozelos — atos quase libidinosos naqueles tempos. As batidas não foram ouvidas durante estes testes, mas pancadas irromperam em outros momentos do exame.

Um médico recorreu ao estetoscópio para examinar o movimento dos pulmões das jovens e eliminar a possibilidade de ventriloquismo. Outra suspeita dos caçadores de fraudes também foi afastada após inspeção minuciosa do ambiente: a de que as irmãs usassem algum maquinário para produção dos ruídos.

O novo relatório, lido também em sessão pública no Corinthian Hall, gerou a formação de uma terceira comissão, ainda mais cética e implacável. Um dos integrantes do grupo anunciou: se atiraria das cataratas do Genesee se não conseguisse desvendar a farsa.

No dia seguinte, Maggie e Leah deixaram-se tocar, atar e manipular como antes e ainda se submeteram a outro exame. Um comitê complementar, formado apenas por mulheres, levou-as a um cômodo à parte, tirou seus vestidos e fez buscas, em seus "corpos e roupas", à cata de objetos capazes de fazer ruídos, como bolas de chumbo.

Esta nova etapa da investigação terminou com as irmãs aos prantos. Mas ainda faltava um teste: era preciso saber se as batidas seriam provocadas por eletricidade ou pelos tais fluidos magnéticos. Maggie e Leah foram forçadas a ficar de pé sobre vidro e travesseiro, que não conduzem eletricidade, com um lenço amarrado à barra de seus vestidos, apertados nos tornozelos.

O resultado da experiência foi descrito, com poucas palavras, no certificado emitido pelo Comitê de Senhoras: "Todas ouvimos nitidamente as batidas na parede e no chão."

Ao fim dos três dias de investigação, o veredito: "As pessoas em cuja presença os sons são ouvidos foram absolvidas da acusação de fraude."

Ninguém conseguiu comprovar encenação nem explicar a origem das batidas. O investigador que prometera se lançar nas cataratas não tocou mais no assunto.

Várias outras apresentações e vários outros testes seriam realizados nos anos seguintes em torno das irmãs Fox. E Kate se uniria a Maggie e Leah em alguns dos espetáculos mais impressionantes e mais bem-remunerados dessa turnê.

Em 1857, ano do lançamento de *O livro dos espíritos*, Leah e Maggie Fox se submeteram a uma nova prova. A caçula, Kate, foi poupada de humilhações mais uma vez.

O novo inquérito foi patrocinado pelo jornal *Boston Courier*. Estava em jogo uma recompensa de 500 dólares (por coincidência, o mesmo valor que teria sido *roubado* do mascate degolado em Hydesville). O prêmio seria entregue a qualquer médium capaz de provar a existência da comunicação com os espíritos a uma equipe de quatro renomados professores de Harvard, entre eles o matemático e astrônomo Benjamin Peirce e o biólogo e cientista natural Louis Agassiz.

Antes das irmãs Fox, duas outras celebridades do *mundo dos espíritos* entraram no circuito para concorrer ao prêmio: os irmãos Davenport, anunciados como os "médiuns do armário" em exibições sempre concorridas. A cada apresentação, em teatros sempre lotados, eles se permitiam amarrar dos pés à cabeça dentro de um "gabinete mediúnico", um armário portátil de nogueira, com três portas, onde também eram trancafiados pandeiros, violões, violinos, rabeca, banjo e cornetas.

Os nós das cordas eram atados diante do público, a porta de madeira se fechava e, instantes depois, a melodia e o barulho dos instrumentos musicais embalavam e atordoavam a plateia. Para muitos, não havia dúvidas: a energia dos médiuns — a alma livre dos corpos — ou de outros espíritos musicais regeriam os concertos sobrenaturais.

Uma prova da presença de visitantes invisíveis seria o fato de as mãos dos irmãos, besuntadas de farinha de trigo antes da apresentação, continuarem assim, enfarinhadas, logo depois do "concerto do além", sem que se encontrassem vestígios de pó branco sobre quaisquer dos instrumentos.

Chegara, então, o momento de a ciência pôr este mistério à prova, e o escalado para a missão de investigar a *mediunidade* dos candidatos foi Benjamim Peirce.

Quando os irmãos Davenport estavam bem-amarrados, ele invadiu, de surpresa, o "gabinete mediúnico" e agarrou, um por um, todos os instrumentos. Dez minutos se passaram e nenhuma música foi ouvida dentro da cabine, para júbilo do cientista e constrangimento dos irmãos.

O desempenho da irmãs Fox, avaliado por Pierce e sua equipe em seguida, seria um pouco mais animador. Ruídos e pancadas esparsos tomaram conta da sala enquanto o grupo observava a dupla, que teve os pulsos e tornozelos atados de novo.

Mas nada muito empolgante — nem digno de premiação — a julgar pelo relatório final divulgado pela imprensa:

> Umas batidinhas facilmente rastreáveis às suas pessoas e facilmente feitas por outros, sem a presença de espíritos; nenhuma mesa ou piano levitou, e nada se moveu sequer um milímetro. (...) E assim termina essa impostura ridícula e infame.

Ao fim de dois dias de investigações, o repórter do *Boston Courier* anunciou o resultado do concurso: os 500 dólares continuariam no cofre do jornal.

A crença e a descrença espíritas

O livro dos espíritos causou mais barulho. Com o sucesso da publicação — cada vez mais lida e discutida —, as mesas girantes, antes vistas como mera distração, conquistaram novo status: a de evidência da manifestação de espíritos e, portanto, da imortalidade da alma.

Para muitos jornalistas, cientistas e religiosos, já não seria possível aceitar em silêncio, ou apenas tratar com escárnio, as "verdades da crença espírita".

Com a ajuda da sempre atenta Amélie, Kardec recortou e guardou em seus arquivos as novas teses dos críticos.

De acordo com o professor Thury, de Genebra, as mesas e outros objetos seriam movidos não por espíritos, mas por um agente especial definido por ele como *psicode*, um fluido que atravessava os nervos e todas as substâncias orgânicas e inorgânicas, "como o éter luminoso dos sábios".

Segundo outro investigador, o biólogo americano Roggers, os movimentos misteriosos seriam causados pelos centros nervosos dos participantes das sessões, que agiriam por meio do fluido universal e imponderável, denominado por ele como *odilo*.

Dois anos depois, em 1859, a respeitável Academia de Medicina de Paris proclamaria outro diagnóstico:

As pancadas produzidas na mesa eram devidas a um músculo rangedor da perna que, de tempos em tempos, se entrega a facécias, sendo que as pessoas ingênuas tomavam isso por manifestações de espíritos.

Muita gente preferiu acreditar nos espíritos a apostar nos músculos rangedores, e a nova doutrina — ou ciência, como preferia Kardec — foi conquistando adeptos devotados e também respeitados.

Um deles, o dramaturgo Victorien Sardou, enviou uma carta entusiasmada ao autor de *O livro dos espíritos*:

É o livro mais interessante e instrutivo que já li. Recebei meus cumprimentos pelo modo como classificastes e coordenastes os materiais fornecidos pelos próprios espíritos: tudo é perfeitamente metódico, tudo se encadeia bem, e vossa introdução é uma obra-prima de lógica, de discussão e de exposição.

Um colunista do jornal *Courrier de Paris*, G. Du Charlard, também avalizou a obra, depois de garantir que não conhecia o autor nem tinha qualquer intenção de fazer "propaganda bibliográfica": "*O livro dos espíritos* de M. Allan Kardec é uma página nova do próprio grande livro do infinito."

Em breve, Kardec retomaria sua comunicação com o além para produzir a segunda edição de *O livro dos espíritos*, revista e bastante ampliada: 1.019 diálogos, 474 páginas — "uma obra nova", como definiria.

Seriam três anos de trabalho até lá — sem o auxílio das irmãs Baudin, recém-casadas, ou de Ruth Japhet, indignada com o autor, cada vez mais célebre.

O diálogo com o invisível teria agora uma nova intermediária: a enigmática Ermance Dufaux.

Minha risonha Ermance

Em 21 de abril de 1857, três dias depois do lançamento de *O livro dos espíritos*, Rivail e Amélie abriram seu apartamento para uma recepção. A sra. Plainemaison pediu licença para levar os Dufaux ao jantar. Rico produtor de vinho e trigo — morador de um castelo medieval vizinho ao do imperador Napoleão III —, o sr. Dufaux era conhecido pela ligação com a corte e também pelas proezas de sua bela filha, Ermance, então com 16 anos.

Rivail ouvira falar de Ermance — a "médium historiadora" — e das agruras enfrentadas por sua família, muito católica. Desde os 12 anos, ela era acometida por crises de ausência e, em transe, transmitia mensagens atribuídas a mortos. Preocupado, o pai, ainda em 1853, recorreu a um amigo médico, Clever de Maldigny, estudioso dos "fluidos invisíveis", e ouviu dele um diagnóstico alarmante. A doença se chamava mediunidade.

Era uma epidemia recente, vinda da América. Uma moléstia mental, altamente contagiosa, que fazia vítimas na Alemanha, na Inglaterra e, agora, na França. O mal atacava, principalmente, as moças sensitivas, mais sujeitas à "ação magnética". Teria cura?

*

Quinze dias depois, Ermance sofreu mais uma crise nervosa e o pai a levou ao amigo médico, em Versalhes, sem revelar à filha a tal doença misteriosa. Após breve conversa, o doutor Maldigny pôs um lápis entre os dedos da paciente e a enfermeira Rosette pousou as mãos sobre a mão da menina, enquanto balbuciava uma oração encerrada de maneira inusitada:

— Em nome de Deus, venha a nós um espírito bom.

O sr. Dufaux teve de se controlar para não rir da situação insólita. Maldigny agia como se estivesse à frente de uma sessão de hipnose:

— Escreva o que lhe vier à cabeça ou lhe for impulsionado. Nada tema. Escreva o que lhe vier à cabeça, ou ao pulso.

Ermance não conseguiu conter uma risada nervosa enquanto equilibrava o lápis no papel, mas engoliu o riso quando viu o objeto se mover à sua revelia, até escrever:

— Minha risonha Ermance.

Assustada, a menina largou o lápis e se recusou a continuar com a experiência. O médico não tinha dúvidas. Diagnóstico confirmado: mediunidade.

Uma semana depois, o sr. Dufaux recebeu a visita do marquês de Mirville, a quem revelou os sintomas da filha e o diagnóstico do médico. Estudioso do magnetismo e da ação maligna do demônio nos supostos fenômenos mediúnicos, o marquês entregou um lápis à jovem e pediu para ela se submeter a um novo teste.

Ermance relutou. Desde a consulta médica, vivia assustada. Tinha medo de segurar o lápis até mesmo para fazer as lições de casa, e só o fazia com alguém por perto. A insistência do visitante ilustre, porém, a convenceu. Católico fervoroso, o marquês tinha uma hipótese sobre a identidade de quem se comunicaria, caso se comunicasse.

Assim que a menina equilibrou o lápis sobre o papel, ele perguntou:

— Está presente o espírito em que penso? Em caso afirmativo, queira escrever seu nome por intermédio de Ermance.

Após segundos de tensão, a mão da menina se moveu.

— Não, mas um dos teus remotos parentes.
— Pode escrever seu nome?

O comunicante desconversou.

— Prefiro, para teu bem, que meu nome venha diretamente à sua cabeça. Pense um instante.

O marquês apostou alto, para provocar:

— São Luís, rei da França, primo do primeiro nobre de minha família?

Pelas mãos da adolescente, a confirmação:

— Sim, eu mesmo.

Com o perdão de sua majestade — o rei Luís IX, morto seis séculos antes e canonizado pelo papa em 1297 —, era preciso ainda uma evidência.

— Vossa Majestade pode dar-me uma prova de que é realmente nosso grande rei?

E o lápis sustentado por Ermance escreveu:

— Ninguém nesta casa sabe que tu e os teus considerais, em preces, que sou o anjo da guarda de tua família, não é fato?

Certo de estar lidando com o dissimulado satã, o marquês tentou ser tão cínico quanto ele:

— Impressionante. Exato.

Também desconfiado — e também católico —, o pai de Ermance pediu nova evidência:

— Pode Vossa Majestade, santo como é, ditar-me algo de edificante em moral, compatível com a glória religiosa de São Luís?
— Tentarei com prazer.

A menina de 12 anos não se intimidou diante do pai e pôs no papel, com velocidade e tranquilidade impressionantes, uma longa e rebuscada mensagem:

> Sê tu, amigo, como um rio benfazejo que derrama por onde passa a fertilidade e a frescura, perdoa a teus inimigos como o Salvador que, quase ao expirar, orou por seus carrascos, dando assim aos homens seu derradeiro exemplo de bondade (...).
>
> Ama teus inferiores na hierarquia social. Não imites os homens tiranos de seus irmãos, nem os que, por seu exemplo, transviam as almas humildes e obscuras que lhe cumpre guiar e proteger neste vale de provações para todos. (...)

O texto fazia também referências ao "anjo rebelado" e aos "abismos eternos", bem de acordo com os dogmas católicos, antes de encerrar em clima fraternal: "Paz a ti e a teus! Particularmente a Ermance. Luís."

Depois de ler e reler a mensagem, o marquês dividiu suas impressões com o preocupado anfitrião. Duas hipóteses: os dogmas católicos professados por ele e pelo sr. Dufaux teriam sido transmitidos, em processo telepático, à jovem sugestionada, em estado sonambúlico; a inata inteligência de Ermance e sua educação cristã teriam gerado o texto (com ou sem consciência da autora).

Mas essas eram as explicações educadas. O marquês de Mirville continuava convicto de que tudo não passava de obra de satã.

*

Uma obra que cresceria, capítulo por capítulo, pelas mãos miúdas de Ermance, até gerar o livro intitulado *Vida de Luís IX, escrita por ele mesmo.* Uma autobiografia póstuma repleta de informações sobre os bastidores do poder real no século XIII, conhecido como o "século de ouro de São Luís".

Ao ler os capítulos escritos a jato pela filha, o pai venceria as desconfianças iniciais. Pela linguagem refinada e pelos detalhes históricos, aquele só podia ser mesmo o admirável rei santificado. A convicção do sr. Dufaux foi tanta que ele decidiu publicar o livro em 1854. Uma decisão que abalou as suas até então cordiais relações com a corte.

A Comissão de Imprensa identificou críticas veladas ao imperador Napoleão III em determinados trechos da obra e considerou o livro, atribuído a um santo morto, uma afronta à Santa Sé. O texto teve a circulação proibida e Ermance foi convocada a confessar seus pecados e a atribuir os escritos a satanás.

Ao se recusar a renegar a fé nos espíritos, a menina passou a ser vista como uma herege pela própria imperatriz e teve cassados os direitos a sacramentos básicos como a confissão e a comunhão.

Tanta censura e perseguição preocupavam Kardec. *O livro dos espíritos* corria riscos em Império tão católico. Mas ele ficou mais tranquilo ao ouvir do sr. Dufaux, durante o jantar, novas revelações sobre o caso. Parte da corte se afastara, sim, de sua família, mas, para surpresa do próprio Dufaux, Napoleão III demonstrara mais compreensão... e curiosidade.

O imperador fez questão de abrir as portas de seu castelo à senhorita Dufaux. Recepcionada no Palácio de Fontainebleau, a menina, lápis à mão, enfrentou um novo desafio diante de sua majestade e de uma comissão de nobres: responder a uma pergunta mental feita pelo anfitrião.

Segundo o pai orgulhoso, a resposta — assinada por Napoleão Bonaparte, tio de Napoleão III, e mantida em sigilo — convenceu o imperador, pelo estilo e pela profundidade, e também pelo fato de que ninguém na sala sabia a pergunta.

Nove meses depois, Ermance publicaria seu segundo livro: *A história de Joana D'Arc, ditada por ela mesma.*

O livro começava com uma mensagem da santa acusada de feitiçaria e queimada viva, aos 19 anos, nas fogueiras da Inquisição no século XV. Era um alerta a médiuns como Ermance, que atraíam cada vez mais admiradores:

> Deus encarregou-me de cumprir uma missão junto aos crentes que favoreceu com o mediunato. Quanto mais recebem graças do Altíssimo, mais correm perigos, e esses perigos são bem maiores porque têm origem nos próprios favores que Deus lhes concede.
>
> As faculdades das quais desfrutam os médiuns lhes atraem os elogios dos homens; as felicitações, as adulações; eis a pedra de tropeço.
>
> Esses mesmos médiuns que deveriam sempre ter presente na memória sua incapacidade primitiva a esquecem; eles fazem mais: o que devem a Deus atribuem a seu próprio mérito. O que acontece então? Os bons espíritos os abandonam...

O obra, desta vez, foi liberada sem cortes pelo imperador.

Quatro anos depois, em 1861, a exemplo do que ocorrera a Joana D'Arc, exemplares do livro queimariam numa fogueira alimentada pela Igreja Católica, junto com volumes de *O livro dos espíritos* e de outras "obras heréticas", no episódio conhecido como auto de fé de Barcelona.

Kardec sabia: precisava caminhar com cuidado nesse território onde espíritos eram esconjurados como demônios por líderes da Santa Sé. A presença de Ermance e o apoio de seu pai, tão bem-relacionado, dariam mais segurança ao velho professor, convocado ao combate pelo Espírito da Verdade.

Três dias depois daquele jantar com os Dufaux, Kardec foi apresentado a Ermance e testemunhou, ao vivo, o que já tinha lido e ouvido antes. A beleza da jovem o impressionou tanto quanto a velocidade de suas mãos enquanto botava no papel uma mensagem assinada por "Luís" e endereçada ao "distinto Allan Kardec". Um texto curto com duas recomendações sucintas: "coragem e cautela na nova missão".

Kardec ainda não sabia, mas ele e "Luís" estariam lado a lado em um novo projeto.

A TIARA ESPIRITUAL

Que caminhos seguir? O que esperar da nova vida, com novo nome? *O livro dos espíritos* circulava há apenas duas semanas quando Rivail aceitou o convite para consultar a sra. De Cardone. Segundo o sempre entusiasmado Carlotti, a velha senhora, frequentadora das sessões promovidas na casa do sr. Roustan, era capaz de desvendar a alma e o destino de qualquer um ao inspecionar as linhas de suas mãos.

O professor nunca acreditou em leituras de cartas, mãos, borra de café, bolas de cristal ou espelhos mágicos, mas foi até lá disposto a encarar a anfitriã como uma sonâmbula, alguém que — como ele já estudara tantas vezes — teria acesso a informações de outras dimensões ao se libertar do próprio corpo.

Em suas anotações pessoais, às quais se somariam as previsões da sra. De Cardone, Rivail registrava as impressões recolhidas ao longo de anos de análise do sonambulismo espontâneo ou provocado por magnetizadores:

> Seu corpo (do sonâmbulo) parece extinto, a palavra lhe sai mais surda, o som da sua voz apresenta qualquer coisa de singular; a vida espiritual está toda no lugar para onde o transporta o seu próprio pensamento; somente a matéria permanece onde estava.

Não por acaso, ele via vínculos estreitos entre médiuns e sonâmbulos e entre o espiritismo e o magnetismo:

> Há uma certa porção do ser (durante o sonambulismo) que se lhe separa do corpo e se transporta instantaneamente através do espaço, conduzida pelo pensamento e pela vontade. É a essa parcela de nós mesmos que chamamos: a alma.

Ao estender as mãos sobre a mesa e ouvir as primeiras frases de sua anfitriã — palavras surdas, ditas em tom singular —, Rivail confirmou estar diante de uma sonâmbula, mas nenhuma das revelações sobre seu temperamento o impressionou: "amor pela verdade absoluta", "pendor para as ciências morais", "governado pela cabeça", "necessidade imperiosa de consolar", "olhos com o olhar do pensamento".

O que chamou alguma atenção — e despertou sua ironia — foi uma visão da sra. De Cardone ao observar o alto de sua cabeça:

> — Vejo aqui o sinal da tiara espiritual. É bem pronunciado... Vede.

Rivail encarou o espelho apontado pela anfitriã e não viu qualquer rastro de coroa:

> — Querereis dizer que serei papa? Se tal houvesse de acontecer, não seria nesta existência.

A sra. De Cardone não se inibiu:

> — Eu disse *tiara espiritual*, o que significa: autoridade moral e religiosa e não soberania efetiva.

Com *O livro dos espíritos* já em evidência, Rivail não viu qualquer grande mérito nesta visão... ou ilusão.

Oito anos e quatro livros depois, porém, ele reencontraria a sra. De Cardone, agora orgulhosa de seus poderes:

— Lembra-te da minha predição sobre a tiara espiritual? Ei-la realizada.

— Como realizada? Que eu saiba, não me acho no trono de São Pedro.

Rivail não contaria a ninguém o que ouviu a seguir, mas fez questão de anotar no diário a resposta da vidente, texto que viria a público somente com a morte dele:

> O senhor não é, de fato, o chefe da doutrina, reconhecido pelos espíritas do mundo inteiro? Não são os seus escritos que fazem lei? Não se contam por milhões os seus correligionários? Em matéria de espiritismo, haverá alguém cujo nome tenha mais autoridade do que o seu? Os títulos de sumo sacerdote, de pontífice, mesmo de papa, não lhe serão dados espontaneamente?

Diante de louvações como essa, seria preciso manter sob controle o orgulho e a vaidade. Mesmo porque muitos destes títulos — papa, pontífice, sumo sacerdote — seriam dados a Rivail, por ironia, pelos adversários cada vez mais numerosos.

A *Revista Espírita*

De vez em quando, Kardec relia a mensagem do Espírito da Verdade sobre sua missão:

> Não acredites que te seja bastante publicar um livro, dois, dez livros, e estares sossegadamente em tua casa. É necessário que te mostres no conflito.

O texto o ajudava a seguir em frente, apesar das críticas e dos riscos crescentes. Com o sucesso de *O livro dos espíritos* — cujas vendas aumentavam a cada dia —, passou a receber cartas de leitores de toda a Europa. Gente até então sem fé ou católicos devotados, e devastados por perdas em suas famílias, enviavam relatos sobre o impacto da obra em suas vidas e também sobre a pressão exercida por padres e bispos contra o sacrilégio da necromancia, o perigo e o pecado de dar voz e ouvidos aos mortos.

Muitas jovens, como Ermance, estavam sendo internadas em manicômios pelas famílias, com o apoio de médicos e párocos, diagnosticadas como vítimas de delírios histéricos e possessões demoníacas atribuídos a práticas espíritas. E muitos adeptos do espiritismo eram ameaçados de excomunhão pelas igrejas e de demissão pelos patrões ao professarem a fé na nova crença e ostentarem exemplares da obra de Allan Kardec em suas comunidades.

Como esclarecer e apoiar os leitores perseguidos? Como difundir as mensagens do mundo invisível vindas de todos os cantos, pelas mãos dos mais diversos médiuns? Em 15 de novembro de 1857, o autor de *O livro dos espíritos* recorreu a Ermance Dufaux para consultar seus conselheiros espirituais. Em pauta, um novo projeto: o lançamento da primeira publicação espiritualista da França — a *Revista Espírita*, com periodicidade mensal.

Os Estados Unidos já possuíam dezessete publicações sobre os mistérios do mundo invisível, mas um único jornal espiritualista circulava em todo o Velho Continente: o *Journal de l'âme*, editado em Genebra, sob a direção do dr. Boessinger.

Pelas mãos da jovem Ermance, vieram o aval do além — "A ideia é boa" — e uma série de conselhos editoriais para atrair a atenção do público:

> — De começo, deves cuidar de satisfazer à curiosidade; reunir o sério ao agradável: o sério para atrair os homens de ciência, o agradável para deleitar o vulgo. (...) Em suma, é preciso evitar a monotonia por meio da variedade, congregar a instrução sólida ao interesse geral.

Mas havia um detalhe... E o velho assunto voltou à tona: apoio financeiro. Rivail ainda se dividia entre a contabilidade e a pedagogia, retomada aos poucos sob a censura do governo de Napoleão III, e sonhava abandonar os dois empregos para se dedicar integralmente ao espiritismo.

Se dependesse da boa vontade dos amigos invisíveis, o sonho teria de esperar:

> — Por enquanto, não deves abandonar coisa alguma; há sempre tempo para tudo.

Cauteloso, Rivail sugeriu então lançar um "exemplar de experiência", e só seguir em frente se a repercussão fosse favorável.

Nada feito.

— Um só número não bastará. Move-te e conseguirás.

Rivail se *moveu* até a empresa de um possível sócio, o sr. Tiedeman-Marthèse, que já demonstrara interesse em apoiar a publicação, mas voltou para casa frustrado. O empresário tinha mudado de ideia.

Com o apoio, inclusive financeiro, da compreensiva Amélie, o professor decidiu seguir em frente por conta e risco próprios. Ele mesmo escreveu, sozinho, todos os artigos da nova publicação, e, apesar de não ter um único assinante ou investidor, bancou a impressão dos primeiros exemplares da *Revista Espírita*, produzidos na Tipografia de Beau, a mesma responsável pela edição de *O livro dos espíritos*.

A publicação mensal começou a circular em 1º de janeiro de 1858 com o seguinte subtítulo na capa — "Jornal de Estudos Psicológicos" — e com o crédito em letras garrafais: "Publicada sob a direção de Allan Kardec".

A epígrafe dava um peso científico ao periódico:

> Todo efeito tem uma causa. Todo efeito inteligente tem uma causa inteligente. O poder da causa inteligente é proporcional à grandeza do efeito.

No texto de introdução, menos veemente do que o prefácio de *O livro dos espíritos*, Kardec defendia o valor científico de sua investigação e definia os fenômenos das "mesas girantes e falantes" como a "infância" da nova doutrina:

> Hoje ela é uma ciência, que descobre todo um mundo de mistérios, que patenteia as verdades eternas (...) e descobre o mais vasto campo jamais apresentado à observação do filósofo.

Pelas páginas da *Revista Espírita*, o público poderia, segundo Kardec, acompanhar o progresso desta nova ciência e se prevenir contra os exageros da credulidade e do ceticismo.

A revista seria uma "tribuna livre" para discussões "sensatas" sobre o espiritismo; uma fonte de divulgação de "fenômenos patentes" e um canal para a revelação de comunicações escritas ou verbais dos espíritos, "desde que tenham um fim útil": "Em suma: abarcaremos todas as fases das manifestações materiais e inteligentes do mundo incorpóreo."

No último parágrafo, a explicação para o subtítulo "Jornal de Estudos Psicológicos": "Estudar a natureza dos espíritos é estudar o homem, pois ele um dia participará do mundo dos espíritos."

Uma das primeiras missões de Kardec na nova publicação foi explicar o fiasco dos fenômenos mediúnicos investigados pela comissão formada pelo jornal *Boston Courier* no ano anterior.

O fracasso das irmãs Fox, dos irmãos Davenport e de outros companheiros de mediunidade repercutia em artigo publicado pelo *Scientific American*, em 11 de julho de 1858, e republicado, então, na *Revista Espírita*.

A descrição do desempenho de um dos supostos médiuns testados, o dr. Gardner, era constrangedora. Uma longa lista de "nãos": não conseguiu fazer soar o piano sem tocar; não conseguiu mover uma pequena mesa de um só pé sem o auxílio das mãos; e não conseguiu descobrir a palavra escrita numa folha de papel dobrada e posta dentro de um livro.

Como explicar tantos fracassos?

Kardec reagiu aos ataques científicos com uma explicação sobre o comportamento voluntarioso dos espíritos:

> Eles agem quando e perante quem lhes agrada; por vezes, quando menos se espera, é que a manifestação ocorre com mais energia; e, quando a solicitamos, ela não se verifica.

Além disso, a oferta de um prêmio em dinheiro, segundo ele, afastaria os colaboradores invisíveis:

> É preciso saber que se pode obter cem vezes mais de um médium desinteressado do que daquele movido pelo engodo do lucro, e que um milhão não o levaria a fazer o que não deve.

O sr. Home

Entre todos os médiuns em atuação na época, um merecia admiração especial de Allan Kardec e destaque na imprensa: Daniel Dunglas Home, protagonista de uma série de quatro artigos que a *Revista Espírita* publicou entre fevereiro e maio de 1858, primeiro ano da revista.

Nascido na Escócia, filho de família nobre, o jovem de 24 anos viajava por toda a Europa a convite de anfitriões tão nobres quanto ele, interessados em testemunhar seus prodígios e comprovar a existência do mundo espiritual. Home acabara de exibir seus dotes na Escócia e na Inglaterra quando Kardec traçou um perfil generoso do viajante:

> Sob sua influência, ouvem-se os mais estranhos ruídos, o ar se agita, os corpos sólidos se movem, levantam-se, transportam-se de um lado a outro através do espaço. Instrumentos de música produzem sons melodiosos. Seres do mundo extracorpóreo aparecem, falam, escrevem e, por vezes, nos abraçam até produzir dor.

Os fenômenos mais impressionantes, segundo testemunhas, eram a levitação — "a metros de altura, sem qualquer sustentáculo" — e a materialização de espíritos moldados com a ajuda dos fluidos magnéticos do médium.

Kardec não estivera entre os espectadores de tantas maravilhas, mas garantia a idoneidade do jovem a partir dos relatos de "testemunhas oculares mais dignas de fé".

Entusiasmado com o que ouvia, o professor — defensor da necessidade de observar e analisar causas e efeitos — avalizou os poderes de Home sem ver e traçou um retrato fulgurante da primeira infância do médium:

> Aos seis meses, seu berço se balançava sozinho e, na ausência de pajem, mudava de lugar. Os brinquedos iam até ele, sem que precisasse se mover.

Ilusionismo? Prestidigitação? Kardec rebatia estas suspeitas com outros argumentos: nem sempre Home era capaz de corresponder às expectativas da plateia, e nunca cobrava por suas exibições. Os fenômenos aconteciam espontaneamente, à sua revelia, e não com hora marcada, em sessões públicas, com ingressos à venda.

Mas Home não recusava doações e ficou bastante grato ao receber de uma senhora inglesa, recém-convertida à doutrina espírita, um legado de 6 mil francos. Um gesto noticiado com estardalhaço nos jornais franceses e comemorado por Kardec na edição de março da *Revista Espírita*:

> O sr. Home merecia esta prova de consideração (...). De parte da doadora o ato é um precedente que terá o aplauso de todos quantos partilham de nossas convicções.

Ele talvez pensasse em Tiedeman-Marthèse ao escrever em seguida:

> Esperemos que um dia a doutrina tenha os seus mecenas: a posteridade inscreverá seus nomes entre os benfeitores da humanidade.

Na decada seguinte, Home seria processado e condenado sob a acusação de aplicar um golpe numa rica viúva de 75 anos, a sra. Jane Lyon.

De acordo com a denúncia, ele teria transmitido à viúva mensagens do marido morto com dois pedidos muito específicos: a de que ela adotasse o médium como filho e lhe garantisse generosa pensão anual.

Entusiasmada com os fenômenos testemunhados em sua casa, a viúva teria dado, ao todo, cerca de 60 mil libras ao filho adotivo (sim, a sra. Lyon chegou a adotar o fascinante Home) — uma fortuna que conseguiria reaver na justiça.

Em 1858, no entanto, Home ainda era alvo apenas de boatos.

Segundo informou o próprio Kardec na *Revista Espírita*, "más línguas" teriam dito que Home se encontrava preso em Mazas, "sob o peso de graves acusações", e não em viagem de turismo na Itália, como anunciara. Kardec desmentiu as notícias com uma afirmação: teria sobre a mesa várias cartas enviadas pelo médium, datadas e seladas em Pisa, Roma e Nápoles, onde ele estaria.

O artigo terminava com um desabafo: "Muita razão têm os espíritos ao afirmar que os verdadeiros demônios se acham entre os homens."

PARTE IV

VERDADES E MENTIRAS

Sociedade dos espíritos

Muito mais discreta e desinteressada do que o colega escocês, Ermance Dufaux continuava a pôr no papel mensagens assinadas por São Luís. Sua autobiografia póstuma fora proibida pelo governo, mas nada impedia, por enquanto, que o santo se manifestasse na *Revista Espírita*. Parábolas sobre orgulho, preguiça e inveja, assinadas por ele, foram estampadas na nova publicação, acompanhadas de diálogos com o próprio rei santificado.

Agora, porém, Ermance já não escrevia tanto. As mensagens dos espíritos saíam de sua boca a jato, e quem estivesse a seu lado durante estes ditados "do além" precisava escrever rápido para acompanhar a velocidade dos discursos.

Kardec deu destaque à jovem, como objeto de estudo, já nos primeiros artigos da revista:

> A princípio era boa médium psicógrafa e escrevia com grande facilidade; pouco a pouco se tornou médium falante e, à medida que esta nova faculdade de desenvolveu, a primeira se atenuou. Hoje a senhorita Dufaux escreve pouco e com dificuldade, mas o que é original é que, falando, sente a necessidade de estar com um lápis à mão e de fingir que escreve.

Detalhes como estes chamavam a atenção de leitores ávidos por evidências da vida depois da morte e levavam à casa de Kardec colaboradores interessados em estudar a nova ciência e atuar como intermediários do além.

Quinze pessoas, em média, passaram a participar de reuniões privadas, toda terça-feira, no apartamento de Kardec e Amélie na rua de Martyrs, número 8. Mas em pouco tempo o número de visitantes dobrou e a sala ficou acanhada para tanta gente e tantos fenômenos.

Os frequentadores mais assíduos propuseram, então, ratear os custos do aluguel de um novo espaço. Kardec aceitou a oferta e decidiu formalizar a sociedade, com o aval do Estado.

Batizada de Círculo Parisiense de Estudos Espíritas, esta associação, ainda um tanto improvisada nos primeiros meses de 1858, tornara-se o embrião da primeira Sociedade Espírita do mundo. O processo de legalização da entidade foi conduzido com todo o cuidado e contou com o decisivo apoio dos Dufaux num período de alta tensão em Paris.

A capital da França estava sob a sanção da Lei de Segurança Geral, promulgada após um atentado sofrido por Napoleão III, em 14 de janeiro de 1858. O responsável pela tentativa de assassinato, o revolucionário Félix Orsini, já estava preso, prestes a ser condenado à guilhotina, e a ordem do governo era clara: vigilância máxima para evitar novos ataques.

De acordo com as novas leis, que vigorariam por doze anos, o ministro do Interior poderia, por exemplo, exilar qualquer cidadão francês suspeito de conspirar contra a segurança do Estado. Reuniões privadas, como as organizadas por Allan Kardec, eram, portanto, vistas com reserva e suspeita. O mais seguro era obter uma autorização legal para não correr riscos desnecessários.

Amigo do prefeito de polícia, o sr. Dufaux encarregou-se da petição e garantiu às autoridades o caráter apolítico dos encontros semanais no então recém-batizado Círculo Parisiense de Estudos Espíritas. Logo depois, instruído pelo pai de Ermance, Kardec enviou outra solicitação ao "Sr. Prefeito de Polícia da Cidade de Paris":

> Os membros fundadores do Círculo Parisiense de Estudos Espíritas, que solicitaram junto a vós a autorização necessária para constituir-nos em Sociedade, temos a honra de pedir-vos que consintais permitir-nos reuniões preparatórias, enquanto esperamos a autorização regular.

O texto se encerrava com duas assinaturas do mesmo homem: "(...) tenho a honra de ser vosso muito humilde e muito obediente servidor, H. L. D. Rivail, dito Allan Kardec."

No dia 1º de abril de 1858, três meses depois do lançamento da *Revista Espírita*, a Sociedade Parisiense de Estudos Espíritas passou a ocupar, com autorização do Estado, um endereço próprio: um salão alugado, por um ano, no Palais-Royal, na galeria Valois.

Aquele seria o palco de sucessivos diálogos com o invisível, descritos em edições cada vez mais populares da *Revista Espírita*, a tribuna de Allan Kardec.

Foi nas páginas da publicação, em maio, que o professor festejou a constituição da nova associação parisiense:

> A Sociedade, cuja formação temos o prazer de anunciar, composta exclusivamente de pessoas sérias, isentas de prevenções e animadas do sincero desejo de esclarecimento, contou, desde o início, entre os seus associados, com homens eminentes por seu saber e por sua posição social.
>
> Estamos convictos de que ela é chamada a prestar incontestáveis serviços à constatação da verdade.

Kardec assumiu a presidência do grupo e nomeou, então, São Luís "presidente espiritual" da Sociedade. Uma das mensagens assinadas pelo santo serviria de guia para os trabalhos de intercâmbio com o além:

— Tudo pesar e amadurecer; submeter ao controle da mais severa razão todas as comunicações que receberdes; não deixar de pedir, desde que uma resposta vos pareça duvidosa ou obscura, os esclarecimentos necessários para vos convencer.

Entre os membros fundadores de carne e osso, médiuns como os senhores Rose, Alfred Didier, D'Ambel, Leymarie e Delanne, e as senhoritas Eugénie, Hue e Stephanie, além da atuante sra. Costel. Entre os visitantes invisíveis mais assíduos, além de São Luís, destacava-se Erasto, discípulo e colaborador do apóstolo Paulo de Tarso nos tempos de Cristo, responsável agora por orientações incisivas como esta:

— Não temais desmascarar os embusteiros.

Estimulado pelas vendas de *O livro dos espíritos*, pelo número crescente de assinantes da *Revista Espírita* e pela adesão de novos sócios contribuintes à Sociedade recém-fundada, o professor passou a dedicar cada vez mais tempo à sua missão ou combate.

Logo Rivail seria uma sombra de Kardec, a cada dia mais atuante e confiante.

Com informação e divulgação, acreditava, seria possível vencer os preconceitos contra o espiritismo e provar ao mundo que, em torno das esfuziantes e polêmicas mesas girantes, havia um mundo novo a se revelar.

Quem sabe aconteceria com o espiritismo o que já se dava com sua "ciência irmã", o magnetismo?

Fluidos positivos e negativos

Naquele ano, chegara às mãos de Kardec um livro adotado pela Igreja Católica para os cursos de catecismo. Escrito em formato de perguntas e respostas — como *O livro dos espíritos* —, a publicação, intitulada *Abregé, en forme de catéchisme*, exibia a assinatura do vigário-geral de Verdun, o abade Marotte, e dedicava uma série de diálogos ao magnetismo.

Kardec fez questão de sublinhar as respostas dadas à questão sobre os efeitos provocados pelas induções magnéticas:

> — Um estado de sonambulismo, no qual o magnetizado, privado inteiramente do uso dos sentidos, vê, ouve, fala e responde a todas as perguntas que lhe são dirigidas.
>
> — Uma inteligência e um saber que só existem na crise: conhece o estado de determinados doentes, os remédios convenientes às suas doenças, bem como o que fazem certas pessoas afastadas.

Nenhuma referência a possessões demoníacas nem recomendações de exorcismo.

De Estocolmo, Kardec recebeu outra publicação, uma edição do *Journal des Débats*, com boas-novas sobre os poderes de cura do magnetismo. E o paciente não era um plebeu qualquer. Atormentado por fortes enxaquecas, que resistiam a todos os remédios e tratamentos há mais de dois anos, o rei Oscar fora submetido a uma série de sessões magnéticas, por recomendação do próprio médico, o dr. Klugenstiern. Para surpresa do editor do jornal, os suspeitos fluidos magnéticos funcionaram:

> (...) por singularíssima coincidência, a saúde do rei Oscar se acha restabelecida, precisamente naquele ponto da cabeça chamado cerebelo.

Kardec traduziu a reportagem e festejou em artigo publicado na *Revista Espírita* em outubro de 1858:

> Perguntamos se há 25 anos os médicos teriam ousado prescrever publicamente um tal meio, mesmo a um simples particular, quanto mais a uma cabeça coroada?

Uma série de provocações aos antagonistas do espiritismo pontuava o texto:

> Como mudaram as coisas nesse curto espaço de tempo! Não só já não riem do magnetismo, como também ei-lo oficialmente reconhecido como agente terapêutico.
>
> Que lição para os que riem de ideias novas!
>
> Ela os fará compreender a imprudência de investirem em falso contra as coisas que não entendem?

A resposta a esta última pergunta seria "não" quando o assunto fosse o espiritismo.

Enquanto o magnetismo era abençoado pelo destemido abade e receitado a cabeças coroadas, o jornal especializado em saúde *Gazette des Hôpitaux* noticiava, com destaque, que 25 pacientes estavam internadas no hospital de *alienados* de Zurique "graças às mesas girantes e aos espíritos batedores".

Kardec recorreu de novo à *Revista Espírita* para reagir: "Perguntaríamos se o medo do Diabo não fez mais loucos do que a crença nos Espíritos."

O artigo, publicado em novembro de 1858, terminava com acusações a outro demônio, cada vez mais devastador no mundo: o álcool. Uma pesquisa estatística, realizada na Inglaterra, chegara aos seguintes resultados:

> De cada cem indivíduos internados no hospital de alienados de Hamwel, há 72 cuja alienação mental deve ser atribuída à embriaguez.

Kardec lamentava o tratamento reservado pela imprensa ao espiritismo e estranhava o fato de muitos jornalistas, partidários sinceros da nova doutrina, cruzarem os braços e esconderem sua fé. Alguns estariam, inclusive, entre os assinantes da *Revista Espírita*: "Por que guardam silêncio?"

Ele mesmo arriscou uma resposta: "por receio de perder os assinantes ao arvorar, francamente, uma bandeira cuja cor pudesse desagradar a alguns deles."

Seis meses depois do lançamento, a *Revista Espírita* já conquistava assinantes em toda a Europa, além de México, Canadá, Moscou, Estados Unidos e até Shangai. As edições, sempre mensais, tinham se esgotado tão rápido que foi preciso reimprimir números extras. O próprio Kardec cadastrava os leitores e listava suas profissões sem tornar públicas suas identidades: oficiais generais, magistrados, negociantes, funcionários públicos, médicos — "uma grande quantidade de homens superiores".

Um deles, o sr. Jobard, diretor do Museu Real da Indústria de Bruxelas, oficial da Legião de Honra e membro da Academia de Dijon, enviou uma longa carta ao "Senhor Kardec" para renegar críticas anteriores que publicara contra as mesas girantes — "palhaçadas indignas da atenção dos sábios" — e destacar a "profundeza e lógica" de *O livro dos espíritos* e da *Revista Espírita*:

> Vós vos elevastes de um salto ao nível de Sócrates e de Platão pela moral e pela filosofia estética.
>
> A ideia de que a vida é uma afinação das almas, uma prova e uma expiação, é grande, consoladora, progressiva e natural.

Jobard estava encantado com as revelações de Kardec sobre a "pluralidade dos mundos".

Mozart em Júpiter

No tórrido Mercúrio, no congelante Saturno, na insípida atmosfera da Lua, em todos os planetas mapeados pelos astrônomos e em outras dimensões menos sólidas a desvendar, vivem seres inteligentes, invisíveis para nós, adaptados a essas realidades extremas, assim como os peixes se adaptam à água e microrganismos sobrevivem ao fogo dos vulcões.

Espíritos teriam descrito as maravilhas e as mazelas de "outros mundos" nas sessões de psicografia conduzidas na Sociedade Parisiense de Estudos Espíritas:

> — Tudo é povoado no universo; a vida e a inteligência estão por toda parte: em globos sólidos, no ar, nas entranhas da Terra e até nas profundezas etéreas.

Esta população seria formada por velhos conhecidos nossos — as "almas de todos os humanos desta Terra e de outras esferas, desprendidas dos liames corpóreos".

Segundo a nova doutrina, o reino dos céus estaria, portanto, pulverizado pelo espaço. Ao morrer, o homem renasceria nesse turbilhão planetário, organizado conforme uma escala evolutiva preocupante, pelo menos do ponto de vista dos terráqueos.

De acordo com as fontes invisíveis de Kardec, a Terra perderia de todos os planetas — menos de Marte — em nível de evolução espiritual. Os espíritos superiores seriam exceções neste planeta, e só desembarcariam aqui em missões especiais de civilização e progresso. Mercúrio e Saturno estariam em melhores condições — com ordem social mais equilibrada e relações menos egoístas —, seguidos de perto pela Lua e por Vênus, povoados por seres mais evoluídos.

De todos os planetas conhecidos, o mais adiantado, de acordo com tal escala espiritual, seria Júpiter — o "reino exclusivo do bem e da justiça", habitado apenas por bons espíritos.

E foi uma dessas boas almas que aterrissou em Paris para revelar a Kardec o dia a dia no maior planeta do sistema solar. De acordo com a mensagem do além, este visitante se chamava Bernard Palissy e, antes de renascer em Júpiter, trabalhara como oleiro na França do século XVI.

Para espanto dos céticos e admiração dos espíritas mais devotados, Rivail publicou estas revelações na *Revista Espírita*, em agosto de 1858, e ainda encartou na edição um desenho assinado por Palissy: a fachada de uma casa toda desenhada com claves de sol entrelaçadas. Ele mesmo, o ex-oleiro, traduziu o significado daquela construção diáfana: era a mansão de Mozart em Júpiter.

Outra surpresa: o "médium" responsável pelo desenho, uma aquarela feita ao longo de nove horas, não teria qualquer dom para as artes plásticas. Era o então jovem dramaturgo Victorien Sardou, o mesmo que, semanas antes, enviara ao autor de *O livro dos espíritos* carta repleta de elogios e que, tempos depois, levaria aos palcos franceses a peça intitulada *Bernard Palissy*, sobre as aventuras e desventuras de um oleiro em Paris.

Muitos assinantes da *Revista Espírita* escreveram para pedir dicas de como garantir um pouso em Júpiter na próxima encarnação, sem escalas nem conexões em Mercúrio e Saturno, e sem correr o risco de ser expatriado de volta à inclemente Terra.

Outros terráqueos escreveram para protestar: "Casas de espíritos em Júpiter! Que piada!" — manifestou-se um deles.

Kardec não se intimidou:

> Piada — seja! Mas eu nada tenho com isso (...). Eu o convido a consultar os espíritos, de quem apenas sou eco fiel e instrumento. Que se evoquem Palissy ou Mozart ou um outro habitante desse mundo feliz...

Carta ao príncipe

No fim do ano, Allan Kardec recebeu uma longa carta, repleta de interrogações, assinada por um leitor ilustre: um príncipe. As questões eram tão relevantes — e a origem do documento, tão nobre — que Kardec decidiu publicar a correspondência na primeira edição da *Revista Espírita* em 1859.

Tomou apenas o cuidado de preservar a identidade do remetente, identificado por ele como Príncipe G., para evitar polêmica desnecessária, e perigosa. Na carta, o príncipe católico endereçava uma série de perguntas sobre o mundo invisível ao autor de *O livro dos espíritos*:

> Os espíritos podem guiar-nos mediante conselhos diretos nas coisas da vida? Os espíritos podem revelar o futuro? Qual poderá ser a utilidade da propagação das ideias espíritas?

Kardec dedicou tempo e atenção especiais a esta terceira questão. Era preciso ser hábil e convincente para provar ao príncipe que a nova doutrina não representava qualquer ameaça à fé cristã — muito pelo contrário.

No poder desde 1846, o papa Pio IX estava prestes a iniciar uma campanha contra o que definia de "falso liberalismo". A lista de ideologias condenadas incluía o panteísmo, o racionalismo, a maçonaria, o judaísmo e outras crenças "dadas como cristãs a tentar explicar a Bíblia".

Kardec mediu cada palavra em suas respostas:

> Se considerarmos a moral ensinada pelos espíritos superiores, veremos que é toda ela evangélica; basta dizer que prega a caridade cristã em toda a sua sublimidade (...).
>
> Ao reconduzir os homens aos sentimentos de seus deveres recíprocos, o espiritismo neutraliza o efeito das doutrinas subversivas da ordem social.

Na longa carta de Kardec, eram muitos os argumentos dedicados a demonstrar o quanto o espiritismo seria um aliado poderoso no combate à "chaga do materialismo", cada vez mais em alta desde a Revolução Francesa. Ao comprovar a existência da alma e sua imortalidade — e atestar que todo homem é recompensado ou punido de acordo com os próprios atos, pelo bem ou pelo mal —, a nova doutrina ajudaria a formar uma sociedade mais justa e consequente.

Pela lógica da "causa e efeito", e por seus princípios científicos, o espiritismo estaria atraindo, segundo ele, cada vez mais materialistas para suas fileiras:

> (...) dá religião aos que não a possuem; fortifica-a nos que a têm vacilante, consola pela certeza do futuro, faz suportar com paciência e resignação as tribulações desta vida e desvia o pensamento do suicídio.
>
> É por isso que os que penetraram em seus mistérios se sentem felizes.
>
> Para estes o espiritismo é a luz que dissipa as trevas e as angústias da dúvida.

Kardec não contou ao príncipe, mas também recebia cartas de quem se apavorava com a possibilidade de estar condenado à vida eterna e submetido a um ciclo sem fim de castigos e recompensas morais. Estas mensagens — que cobravam o direito à morte ou ao "descanso eterno" — o surpreendiam, mas o melhor era poupar sua alteza de preocupações tão plebeias.

Outra carta que entusiasmou o velho professor foi enviada pelo dr. Morhéry, cientista dedicado, há mais de vinte anos, a um estudo sobre a "natureza fluídica e biodinâmica" dos germes. Ao ler os artigos da *Revista Espírita*, o médico passou a enxergar ligações entre o mundo invisível das bactérias e o dos espíritos.

Ele tinha participado de sessões de mesas girantes e saiu dos encontros convencido da realidade das manifestações espirituais e da importância daqueles fenômenos: "Compreendi que chegara o momento em que o mundo invisível ia tornar-se visível e tangível."

Em sua carta, o médico previa que, em breve, o homem daria razão ao cientista Gay-Lussac, formulador da lei da dilatação dos gases, para quem expressões como "corpos invisíveis ou imponderáveis" deveriam ser substituídas por definição mais precisa: "corpos imponderados"... ainda.

Kardec fez questão de divulgar a correspondência na *Revista Espírita*, em fevereiro de 1859 — com autorização de Morhéry, "doutor em medicina" —, e de acrescentar um agradecimento ao ilustre remetente: "Nele a convicção não é fé cega, mas raciocinada. É a dedução lógica do sábio que não pensa saber tudo."

Mas faltava pouco para a Academia de Ciências da França emitir um parecer bem diferente sobre os médiuns e seus prodígios — fenômenos que atraíam cada vez mais curiosos e estudiosos à sede da Sociedade Parisiense de Estudos Espíritas, agora de mudança para um novo endereço, mais amplo, à rua Montpensier, 12, no Palais-Royal.

Concertos do além

O ano de 1859 seria marcado por uma série de eventos concorridos na Sociedade Espírita. Alguns visitantes viriam de muito longe.

Na noite de 8 de abril, uma das presenças ilustres chegou de Júpiter: Wolfgang Amadeus Mozart. O morador daquele belo palácio celestial, revelado aos leitores da *Revista Espírita* no ano anterior, estava entre os espectadores invisíveis de um concerto executado por uma pianista de Davans, ex-aluna de Chopin, na sede da Sociedade.

A partitura sobre o piano fora preenchida pelo médium Bryon-Dorgeval: um fragmento de sonata assinado pelo próprio Mozart, convidado de honra do show.

Allan Kardec submetera a partitura mediúnica a diferentes músicos e ouvira a mesma opinião: a sonata tinha a marca do compositor de *Réquiem* e de outras obras-primas, então morto há quase setenta anos, e poderia, sim, ter sido concebida por ele. Somente após coletar os avais dos especialistas decidiu apresentar a "música celestial" aos convidados.

A pedido do anfitrião, a concertista executou primeiro uma sonata composta por Mozart quando vivo. Só depois revelou aos presentes a composição do além. Um sucesso, como relataria Kardec:

Todos foram unânimes em reconhecer não só a perfeita identidade do gênero, mas ainda a superioridade da composição espírita.

Logo após o concerto, o anfitrião invocou Mozart através de um dos médiuns presentes:

— Reconhecei como ditado por vós o trecho que acabamos de ouvir?

— Sim. Muito bem. Eu o reconheço perfeitamente. O médium que me serviu de intérprete é um amigo que não me traiu.

— Qual dos dois trechos preferis?

— Sem comparação, o segundo. A doçura e o encanto são nele mais vivos e mais ternos.

Kardec então convidou o ilustre visitante a presentear a plateia com uma apresentação histórica:

— Podereis tocar piano?

— Sem dúvida que sim.

Poderia, mas...

— ... não o quero: seria inútil.

Diante da decepção da plateia, Kardec insistiu:

— Seria poderoso motivo de convicção!

Argumento errado.

— Não estais convencido?

Em conversa com Amélie, uma das espectadoras mais frustradas da noite, Kardec lamentaria, mais tarde, ter insistido naqueles termos: "Os espíritos elevados jamais se submetem a provas."

Músculos que rangem

Em sessão conduzida pela jovem Ermance Dufaux, também em 1859, São Luís, o presidente espiritual da Sociedade, colocou no papel o seguinte alerta: "Evocai um rochedo e ele vos responderá."

De acordo com as instruções do conselheiro invisível, era preciso ficar atento aos espíritos levianos, que se divertiam à custa da credulidade alheia e declaravam quaisquer identidades para enganar ou impressionar o público. E era preciso também ficar alerta em relação aos médiuns.

Em seus artigos e palestras, Kardec apregoava duas qualidades indispensáveis aos intermediários das mensagens do além: "desinteresse absoluto" — não só por ganhos materiais, mas também por notoriedade — e seriedade durante as sessões:

> É justo desconfiar de todos quantos fizerem dos fenômenos um espetáculo, um objeto de curiosidade ou um divertimento, ou dos que tirem desses fenômenos qualquer proveito, por menor que seja, gabando-se de os produzir à vontade e a qualquer propósito.

Em artigo publicado na *Revista Espírita*, em abril de 1859, sob o título "Fraudes espíritas", Kardec alertava o leitor para uma "pequena astúcia" capaz de produzir, por exemplo, sons inexplicáveis atribuídos a espíritos:

> Basta colocar as mãos abertas sobre a mesa, suficientemente próximas para que as unhas dos polegares se apoiem fortemente uma na outra; então, por um movimento muscular absolutamente imperceptível, faz-se estalar as unhas com um ruído seco (...). Esse ruído repercute na madeira e produz uma ilusão completa.

Por este sistema, afirmava, seria possível produzir quantos golpes se quisesse, simular batidas de tambor, ditar respostas a perguntas pelo "sim" e pelo "não", ou pela indicação das letras do alfabeto.

O texto mereceria, quatro décadas depois, a seguinte nota de rodapé da "equipe revisora" responsável pela publicação da *Revista Espírita* no Brasil:

> Não é imperceptível o movimento muscular, nem o ruído é tão semelhante aos golpes internos. Kardec quis prevenir as pessoas inexperientes e demasiado crédulas.

Estava em jogo a credibilidade da comunicação com os espíritos através de movimentos de mesas e "espíritos batedores". Fenômenos fundadores da doutrina, postos à prova — mais uma vez — por uma comissão de investigadores.

No dia 18 de abril de 1859, a Academia de Ciências de Paris anunciou a descoberta de outra possível causa das pancadas e ruídos misteriosos atribuídos a "espíritos batedores": músculos rangedores.

A causa inteligente por trás das mesas falantes — e de fenômenos de comunicação como o das irmãs Fox — estaria dentro dos corpos dos supostos médiuns, e não fora deles, numa outra dimensão.

O objeto de estudo inicial dos cientistas, liderados pelo anatomista dr. Schiff, foi uma jovem de 14 anos, "forte e bem-constituída", afetada por movimentos involuntários e regulares do músculo peroneal lateral direito e por batidas geradas por detrás do "maléolo externo direito" com regularidade e força, segundo artigo publicado na edição de abril do jornal *L'Abeille Médicale*:

> Esse ruído era ouvido no leito, fora do leito e a uma distância bem considerável do lugar onde a moça repousava.
>
> Notável por sua regularidade e pela nitidez dos estados, o ruído a acompanhava por toda parte.

Depois de virar e revirar a moça e auscultar cada um de seus estalos e ruídos secos — semelhantes a "marteladas" —, dr. Schiff sacramentou:

> Sob a influência da contração muscular, podem os tendões deslocados — no momento em que entram nas goteiras ósseas — produzir batimentos que, para certas pessoas, anunciam a presença de "espíritos batedores".

E o mais importante: esses sons poderiam ser produzidos por qualquer um que se dispusesse a deslocar tendões para maravilhar plateias.

Para comprovar a tese, o médico usara o próprio corpo como laboratório e, com a prática, conseguira produzir ruídos "voluntários, regulares e harmoniosos" por detrás do tal maléolo externo e na "corrediça dos tendões do perônio".

Plateias de até cinquenta pessoas ouviram as "mensagens" transmitidas pelas articulações do médico, "com ou sem sapato, de pé ou deitado".

O artigo detalhava estes testes e destacava também outros casos, como o de uma jovem internada no Hospital São Luís pelo pai, que se autodenominava "pai de um fenômeno" e já fazia planos de ganhar dinheiro com o dom da filha em apresentações públicas. A jovem, segundo o pai coruja, carregaria um pêndulo no ventre.

O prodígio, entretanto, foi desvendado após breves exames. Bastava a paciente fazer um ligeiro movimento de rotação na região lombar da coluna vertebral para produzir estalos fortes — audíveis a até 25 pés de distância. Ela controlava o ritmo e a potência dos sons com a contração dos músculos da base da coluna.

Diante de "evidências" como estas, os especialistas da Academia de Ciências avalizaram o parecer do dr. Schift e deram por encerradas as investigações sobre os bastidores ocultos das "comédias espíritas": "Os charlatães relacionaram estes fenômenos singulares a causas sobrenaturais para explorar a credulidade pública."

Kardec publicou o diagnóstico dos investigadores na *Revista Espírita*, em junho de 1859, e levantou as seguintes questões:

- Por que anfitriões bem-nascidos e bem-criados reuniriam visitantes em suas casas em salões da Europa e dos Estados Unidos para fazer músculos estalarem durante duas ou três horas seguidas, sem nenhum lucro? Seria necessária uma forte dose de vontade de mistificar e divertir o público para submeter o próprio corpo a exercícios tão cansativos.
- Os tendões martelariam as goteiras ósseas, mas teriam de ir muito mais longe. Os "músculos rangedores" bateriam também nas portas, nas paredes, nos tetos, em todo o canto e — dotados de um poder insuspeito — ergueriam mesas maciças, com mais de cinquenta quilos, sem as tocar, e as fariam andar por toda a sala, abrir, fechar e flutuar no espaço sem apoio.
- O charlatão usaria seus músculos para imitar o som do martelo, responder "sim" ou "não", ditar frases inteiras ao som de pancadas vinculadas ao alfabeto. Mas e quando os músculos respondem a questões sobre assuntos desconhecidos pelo farsante? E quando ditam sonetos e partituras musicais sem que os embusteiros tenham quaisquer dons para a poesia ou a música?

Em longo artigo, Kardec recorreu à ironia mais uma vez para protestar: "Na verdade, senhores médiuns, os senhores não suspeitavam de que houvesse tanto espírito em seus calcanhares!" E prosseguiu:

Segundo o célebre cirurgião, todo toc-toc, todo pan-pan que de boa-fé faz arrepiar aqueles que os escutam; esses ruídos singulares, esses golpes secos, vibrados sucessivamente e como que cadenciados, sinais certos da presença dos habitantes do outro mundo, são simplesmente o resultado de um movimento imprimido a um músculo, um nervo, um tendão!

Quase trinta anos depois dessa polêmica, a 21 de outubro de 1888, Maggie Fox confirmaria, em parte, as teses ósseo-musculares do dr. Schiff. Ao subir no palco da Academia de Música de Nova York para revelar a origem das batidas mais investigadas da história do espiritualismo moderno, diria diante de uma multidão de jornalistas:

— As batidas são simplesmente o resultado de um controle perfeito dos músculos da perna abaixo do joelho, que governam os tendões dos pés e permitem a ação das articulações e dos ossos do calcanhar, que normalmente não são conhecidos.

Confissão que, meses depois, no entanto, renegaria, atribuindo-a a pressões de "poderosos católicos", suborno de um dono de jornal e desejo de se vingar da irmã mais velha, Leah, com quem media forças há anos.

Morto dezenove anos antes, Kardec não estaria mais a postos para defender a doutrina nem agradecer aos adversários, como fizera ao longo de discursos, debates e artigos como este, endereçado aos "antagonistas" na *Revista Espírita* em março de 1859:

Não há um só de seus artigos [escritos pelos adversários], mais ou menos espirituosos, que não tenha produzido a venda de alguns de nossos livros e que não nos tenha proporcionado alguns assinantes.

Obrigado, pois, pelo serviço que nos prestam involuntariamente.

O alerta do abade

Um dos principais adversários do espiritismo manifestou-se em 13 de abril de 1859, em artigo publicado no jornal católico *L'Univers*. O abade François Chesnel reconheceu o avanço da "necromancia espírita", "inclusive entre homens honrosamente conhecidos", e pediu cuidado para que não se emprestasse à "nova seita" importância desmedida.

O alerta veio acompanhado de um pedido de atenção à nova crença, para que não se caísse na "mania" de tudo negar ou amesquinhar.

> Não creias em todo espírito, mas provai se os espíritos são de Deus, porque são muitos os falsos profetas que já se levantaram no mundo.

Em vez de acusar o demônio como responsável pelas comunicações dos mortos, o abade apontou o dedo na direção do homem.

Mensagens atribuídas a espíritos poderiam vir do próprio médium em sessões onde questões debatidas em público já teriam sido comentadas ou reveladas fora da "consulta espiritualista". Para ele, o médium só falaria com clareza de fatos já conhecidos.

Além de agir por má-fé — ou mesmo por autossugestão —, o médium poderia acessar informações ou emoções impregnadas no próprio ambiente, captadas dos frequentadores de cada sessão, ao entrar em "estado sonambúlico".

Para confrontar a descrença do abade Chesnel, Kardec usaria mais uma vez a *Revista Espírita*:

> Será por efeito do sonambulismo que uma mesa responde com precisão às perguntas que lhe são feitas, e até a perguntas mentais?

Mas sua maior preocupação, ao escrever a longa resposta ao representante da Igreja, era outra — o título do artigo assinado pelo abade: "Uma religião nova em Paris".

Segundo Kardec, ao desvendar o mundo invisível, como o microscópio revelara o universo dos "infinitamente pequenos", o espiritismo seria não uma religião, mas uma ciência: "Do contrário teria seu culto, seus templos, seus ministros..."

Como na carta enviada ao Príncipe G. no início do ano, Kardec tomara todo o cuidado para reforçar os laços entre a nova doutrina e o cristianismo e defender sua força no combate ao materialismo:

> (...) quantos incrédulos enfurecidos ele já encaminhou
>
> (...) quantas vítimas arrancou ao suicídio pela perspectiva da sorte reservada àqueles que abreviam a vida, contra a lei de Deus (...)
>
> (...) quantos ódios acalmou, aproximando inimigos!

O abade não se convenceu. Em novo artigo publicado no *L'Univers*, em junho, logo abaixo da resposta de Kardec, insistiu: ao discorrer sobre a moral, o espiritismo atuava sim como uma nova religião. E os médiuns seriam os sacerdotes dessa nova ordem.

O que é o espiritismo?

Mas, afinal, o que seria o espiritismo? Para responder esta pergunta e reagir também às críticas e suspeitas mais comuns contra a doutrina, Kardec lançou, em julho de 1859, uma espécie de cartilha intitulada *O que é o espiritismo?*

Doutrina, ciência, filosofia, religião? A resposta — assinada por Kardec e não delegada aos espíritos — viria logo na introdução:

> O espiritismo é, ao mesmo tempo, uma ciência de observação e uma doutrina filosófica. Como ciência prática, envolve as relações entre nós e os espíritos; como filosofia, compreende todas as consequências morais que emanam dessas relações.

Para quem achou longo, um resumo ainda mais conciso:

> O espiritismo é uma ciência que trata da natureza, origem e destino dos espíritos, bem como de suas relações com o mundo corporal.

Já no primeiro capítulo, Kardec pôs no papel, em formato de perguntas e respostas, diálogos que costumava travar com curiosos que batiam à porta da Sociedade em busca de provas da presença de espíritos. Alguns desses visitantes se apresentavam como adversários da doutrina, prontos a se converter diante de fenômenos irrefutáveis:

> Visitante — (...) se conseguísseis convencer-me, conhecido que sou como antagonista de vossas ideias, isto seria um milagre eminentemente favorável à causa que defendeis.
>
> A.K. — Lamento-o, caro senhor, porém não tenho o dom de fazer milagres. Julgais que uma ou duas sessões bastariam para adquirirdes convicção? (...) Eu precisei de mais de um ano de trabalho para ficar convencido.

O diálogo terminava com um argumento que dividia opiniões e causava polêmica entre os próprios fundadores da Sociedade:

> A.K. — (...) além disso, não realizo sessões públicas e parece-me que vos enganastes sobre o fim das nossas reuniões, visto não fazermos experiências com o objetivo de satisfazer a curiosidade de ninguém.

Desde o início, companheiros de Kardec defendiam a abertura das sessões como tática de difusão do espiritismo. Pressionado, ele chegou a pedir para se afastar da presidência da associação — pedido rejeitado pelos sócios.

A inclusão desse diálogo em *O que é o espiritismo?* servia também como uma mensagem aos possíveis dissidentes: a sociedade deveria ser encarada como um centro de estudos e não como palco de fenômenos para propaganda da doutrina. E não adiantava insistir.

O que é o espiritismo? funcionou como canal para uma série de recados, diretos e indiretos, dirigidos aos antagonistas da doutrina, de "dentro" e de "fora" dos círculos espíritas.

No texto de abertura, Kardec tomou o cuidado de rejeitar os créditos de fundador, criador ou inventor da filosofia espírita, e de atribuir aos colaboradores invisíveis o mérito pela nova ciência:

Diz-se a filosofia de Platão, de Descartes, de Leibniz; nunca se poderá dizer a doutrina de Allan Kardec (...). O espiritismo tem auxiliares de maior preponderância, ao lado dos quais somos simples átomos.

Uma série de duelos entre Kardec e os mais diversos personagens pontuava o livro.

Com a palavra, o Visitante Crítico:

VC — Não acrediteis que minha opinião se tenha formado levianamente. Vi mesas girarem e produzirem sons como de pancadas; vi pessoas escreverem o que, segundo diziam, lhes ditavam os espíritos; estou convencido, porém, de que nisso há charlatanismo.

A.K. — Quanto vos cobraram para mostrar-vos essas coisas?

VC — Nada.

A.K. — Ora, aí tendes charlatões de uma espécie singular. Até o presente não se tinha ainda visto charlatões desinteressados.

O Padre:

P — A religião ensina tudo isso (caridade, fraternidade, moral...); até agora foi suficiente. Qual é hoje a necessidade de uma nova doutrina?

A.K. — Se a religião ensina o bastante, por que há tantos incrédulos, religiosamente falando?

E também o Visitante Cético:

VC — O espiritismo tende, evidentemente, a fazer reviver as crenças fundadas no maravilhoso e no sobrenatural; ora, no século positivo em que vivemos, isto me parece difícil, porque é exigir que se acredite nas superstições e nos erros populares, já condenados pela razão.

A.K. — O sobrenatural desaparece à luz do facho da ciência, da filosofia e da razão (...). Sobrenatural é tudo o que está fora das leis da natureza. O positivismo nada admite que escape à ação dessas leis; mas, porventura, ele as conhece a todas? (...) O espiritismo amplia o domínio da ciência e é nisto que ele próprio se torna uma ciência.

Mas e as provas irrefutáveis? Entre várias evidências, Kardec citava, no novo livro, os prodígios de um médium vidente, testemunhados por ele e outros privilegiados:

> Será por efeito sonambúlico que certo médium desenhou, um dia, em minha casa e na presença de vinte testemunhas, o retrato de uma jovem, morta havia dezoito meses e a quem ele não conhecera, retrato reconhecido pelo próprio pai da jovem, presente então à sessão?

No texto, Kardec preservou a identidade do jovem. O nome dele era Adrien.

O incrível Adrien

O jovem vidente fora personagem de uma reportagem publicada na *Revista Espírita* pouco antes do lançamento de *O que é o espiritismo?*, em julho de 1859. Kardec estava impressionado com sua capacidade de enxergar e descrever o mundo invisível:

> A população oculta, que formiga em volta de nós, lhe é visível. (...) Ele representa para nós o papel de um vidente numa população de cegos.

Mas como garantir que os relatos de Adrien correspondessem à realidade inacessível aos simples mortais?

Kardec tinha provas: as descrições exatas, feitas pelo médium, da aparência e dos traços físicos de mortos desconhecidos por ele:

> Quando descreve, com rigorosa minúcia, os mínimos traços de um parente ou de um amigo, que evocamos por seu intermédio, temos a certeza de que ele vê, pois não pode ser fruto de sua imaginação.

Nem sempre, porém, os parentes dos mortos reconheciam estas descrições. Cor do cabelo e dos olhos, forma do queixo e dos maxilares, altura, peso: como explicar as discrepâncias entre a figura descrita e o modelo real?

Kardec tinha uma justificativa técnica: ao deixar o "envoltório material" na Terra, o espírito levaria consigo seu "invólucro etéreo", outra espécie de corpo, com forma humana, mas que não seria calcada traço a traço sobre aquele que ficara no plano físico. Quanto maior o tempo transcorrido desde a morte, menores poderiam ser as semelhanças entre o corpo material e o etéreo.

Outra explicação, ainda mais complexa: o médium teria a visão do invisível através de uma "radiação fluídica" emitida pelo espírito. E essa emissão magnética poderia ser comprometida pela presença de pensamentos desfavoráveis no ambiente.

Para os mais hostis, a explicação era outra: Adrien teria problemas de visão... e de caráter também. E Kardec não conseguiria enxergar essas distorções.

Como converter os céticos? Pressionado pelas críticas e suspeitas de sempre, Kardec escreveu na *Revista Espírita*:

> Nosso objetivo não é convencer incrédulos. Se não se convencem pelos fatos, menos o fariam pelo raciocínio: seria perdermos o nosso tempo.

Aos "contraditores", uma mensagem:

> Estudai primeiro e veremos depois. Temos mais que fazer do que falar a quem não quer ouvir. Aliás, o que importa, em definitivo, a opinião contrária deste ou daquele?

Era um desabafo. Kardec estava, sim, em plena campanha para atrair adeptos ao círculo virtuoso do espiritismo: "Nascer, morrer, renascer ainda e progredir sempre." Uma evolução permanente, pontuada por penas e recompensas futuras, baseadas no bem e no mal praticados pelo espírito imortal.

> Encontrai uma solução mais lógica para todas as questões que o espiritismo resolve; dai ao homem outra certeza, que o torne mais feliz, e compreendei bem o alcance do vocábulo certeza, porque o homem só aceita como certo aquilo que lhe parece lógico.

O espiritismo — "que dá a volta ao mundo, com quatro ou cinco milhões de adeptos", segundo Kardec — tocaria a corda mais sensível do homem: a de sua felicidade. E não se poderia brincar com ele impunemente.

Não era o que pensava o redator da *Gazette de Lyon*, principal jornal da cidade natal do professor Hippolyte Léon Denizard Rivail.

Os alucinados

Com uma definição sucinta, o jornalista abria a reportagem "Uma sessão dos espíritas", publicada em 2 de agosto de 1860:

> São chamados espíritas certos alucinados que, apesar de terem rompido com todas as crenças religiosas de seu tempo e seu país, pretendem se relacionar com os espíritos.

Dias antes ele participara de uma reunião semanal promovida na oficina de um tecelão da cidade, entre quatro teares verticais.

Vinte e cinco pessoas acompanharam o desempenho da médium — ou "sibila", como definiu o repórter —, mulher do anfitrião. Sentada à mesa, caderno aberto à sua frente, pena de ganso à mão — "e não uma pena metálica, pois os espíritos têm horror aos metais", explicava o jornalista —, a médium colocou no papel respostas às mais diversas questões.

A primeira pergunta partiu de um jovem soldado intrigado com o fato de nunca ser convocado para as batalhas em marcha na Crimeia e na Itália. Oito dias antes de cada missão, era designado para outros postos. Por quê?

A "Inspirada" — era assim que o anfitrião e os convidados a chamavam — equilibrou a pena sobre o papel e pediu ajuda ao invisível:

— Meu Deus, fazei-me a graça de nos esclarecer nesse assunto.

Instantes depois, a pena colocou a seguinte frase no papel, lida em voz alta pela "sibila":

— É que estais destinado a viver para instruir e esclarecer vossos irmãos.

Recém-chegado dos campos de batalha, um sobrevivente da guerra lançou outra pergunta:

— O espírito do meu pai me acompanhou e protegeu nos combates?
— Sim.

O repórter se aproximou do soldado e perguntou quando o pai dele havia morrido:

— Meu pai não está morto.

Em seguida, um jovem tecelão da cidade descreveu a seguinte cena: noites antes, sua mãe fora despertada por um toque misterioso em seu rosto. Assustada, pediu ajuda ao marido e ao filho, que vasculharam a casa — onde também funcionava a oficina — em busca de algum visitante inoportuno (ratos, por exemplo). De repente, um dos teares começou a funcionar na extremidade do salão, e logo as outras máquinas se juntaram à primeira numa sinfonia aterradora.

Qual era a explicação?

Mais uma vez a pena de ganso deu a resposta, lida pela médium:

— É o vosso avô, que vem pedir preces.
— É isso mesmo. Pobre velho!

A família, católica, ainda não mandara rezar as missas prometidas.

Outro espectador buscava razões para as constantes aparições de cometas nos céus da França. Seriam sinais do apocalipse?

A resposta veio rápido:

— Sim, e em 140 anos o mundo não mais existirá.

A sessão terminou com uma questão bem mais pessoal, lançada por uma espectadora que, segundo estimativas do repórter, deveria ter entre 40 e 50 anos:

— Meu espírito já foi encarnado? Quantas vezes?

A pena de ganso matou a curiosidade da visitante:

— Foram três vezes. Na primeira vez, foste filha natural de respeitável princesa russa; na segunda vida, filha legítima de um trapeiro na Boêmia; e, nesta terceira, tu o sabes...

O jornalista não deu detalhes sobre a nova encarnação da ex-nobre, mas encerrou a reportagem com uma pergunta — "Não seria bom impedir que pobres loucos ficassem ainda mais loucos?" — e com certa nostalgia das fogueiras da Inquisição:

> Outrora a Igreja era bastante poderosa para impor silêncio a semelhantes divagações. Talvez ela maltratasse bastante, é verdade, mas sustava o mal.

Kardec ficou indignado ao ler o artigo. Um dos parágrafos que mais o incomodou era o que definia o perfil dos adeptos da doutrina:

> (...) são, geralmente, operários, pois ali não recebem facilmente os que, pelo seu exterior, denunciam muita inteligência.
> Os espíritos só se dignam manifestar-se aos simples.

Desta vez, estimulado por Amélie, Kardec escreveu uma carta para a *Gazette de Lyon* e pediu direito de resposta. Eram muitas as correções a fazer:

- A quase totalidade dos espíritas — 5 ou 6 milhões, pelas suas contas já atualizadas — pertenceria às "classes mais esclarecidas da sociedade": médicos, advogados, magistrados, homens de letras, altos funcionários, oficiais de todas as patentes, artistas, cientistas, negociantes, "pessoas que levianamente colocais entre os ineptos".
- Os operários de Lyon deveriam merecer muito mais respeito e gratidão de seu conterrâneo. "Esqueceis que são esses mesmos operários que fazem a prosperidade de vossa cidade pela indústria?"
- Sobre o desempenho da "sibila", Kardec foi bem mais sucinto: ela nunca usou "penas de ganso" em suas comunicações, e a maioria das perguntas e respostas citadas no artigo seriam "pura invenção", segundo relatos de seus informantes.

Sim, ele reconhecia. Os espíritos, às vezes, proferiam absurdos. E mais: cometiam grosserias e impertinências. Se o jornalista tivesse lido *O livro dos espíritos*, saberia por quê: ao deixar o corpo, o espírito não se despojava, imediatamente, de todas as imperfeições:

> É provável que aqueles que dizem coisas ridículas como espíritos as disseram ainda mais ridículas quando estavam entre nós.
>
> Eis porque não aceitamos mais cegamente o que vem da parte deles do que o vem da parte dos homens.

Em setembro de 1860, mês seguinte à nova polêmica, os espíritas lionenses ofereceriam um jantar a Kardec. No discurso de boas-vindas ao "zeloso propagador da doutrina espírita", o anfitrião Guilhaume agradeceu a perseverança do homenageado, "escolhido para espalhar a luz".

Todos os convivas ali eram gratos a *O livro dos espíritos* por pelo menos quatro razões, enumeradas na saudação inicial: felicidade de se sentirem melhorados; "coração mais leve, livre da cólera e da vingança"; coragem para enfrentar os reveses da vida; e disposição para o exercício da caridade, "não mais uma palavra vã".

Um belo discurso assinado por um comerciante, filho e neto de tecelões.

PARTE V

MULTIPLICAR E DIVIDIR

O NOVO LIVRO DOS ESPÍRITOS

No jantar oferecido pelos espíritas de Lyon, foram muitas as dedicatórias escritas por Kardec em exemplares da nova edição de *O livro dos espíritos*, lançada em 18 de março de 1860. Uma "obra nova", "inteiramente refundida e consideravelmente aumentada", como o autor definiu.

Os 501 diálogos publicados na primeira edição se transformaram em 1.018 perguntas e respostas numeradas, acompanhadas de comentários e notas explicativas assinadas por Kardec, já reverenciado como "mestre" por muitos adeptos.

A primeira parte da versão original de *O livro dos espíritos*, intitulada "Doutrina espírita", foi desmembrada em duas, ainda mais específicas: "Das causas primárias" e "Do mundo espírita ou mundo dos espíritos".

O subtítulo da primeira edição — "Escrito e publicado conforme o ditado e a ordem de espíritos superiores" — foi substituído por uma nova descrição: "Os princípios da doutrina espírita, segundo o ensinamento dado pelos espíritos superiores por intermédio de diversos médiuns, recolhidos e postos em ordem por Allan Kardec."

Na parte superior da capa, um novo termo: "Filosofia espiritualista".

O mestre logo passaria a ser definido também como "o codificador", responsável por organizar o calhamaço do além.

As mensagens dos "espíritos superiores" passariam por seu crivo e seriam filtradas, checadas e rechecadas por ele através de diversas fontes, com a ajuda dos mais diversos médiuns e apoio de farta pesquisa. "A doutrina espírita não foi ditada em todos os pontos, nem imposta à crença cega" — explicaria Kardec na nova introdução da obra, antes de prosseguir:

> Ela é deduzida pelo trabalho do homem, da observação dos fatos que os espíritos põem sob seus olhos, e das instruções que eles lhe dão, instruções que ele estuda, comenta, compara, e das quais tira, pessoalmente, consequências e aplicações.

Este homem era Kardec, cada vez mais longe de casa, às voltas com sucessivas viagens de divulgação da doutrina.

Só em setembro de 1860, sempre acompanhado por Amélie, ele percorreu, a bordo de trepidantes coches e carruagens sobre estradas esburacadas, Sens, Macon e Saint-Etienne, depois de passar por Lyon. Uma nova expressão ganhava força enquanto o casal avançava: "O espiritismo está no ar."

E conquistava aliados cada vez mais graduados do lado de lá. Nesta segunda edição da obra fundadora do espiritismo, algumas respostas às perguntas formuladas por Kardec exibiam assinaturas ilustres.

São Luís, o presidente espiritual da Sociedade Parisiense de Estudos Espíritas, era o mais comunicativo da lista, que incluía novos colaboradores do além, como Santo Agostinho, um dos principais teólogos do catolicismo, morto catorze séculos atrás:

> — Qual o meio prático mais eficaz que tem o homem de melhorar nesta vida e de resistir à atração do mal?
>
> (...) Conhece-te a ti mesmo.
>
> — Mas como conhecer a si mesmo?

> Fazei o que eu fazia, quando vivi na Terra: ao fim do dia, interrogava a minha consciência, passava em revista o que fizera e perguntava a mim mesmo se não faltara a algum dever, se ninguém tivera motivo para de mim se queixar (...).

Palavras do santo, que em seguida explicaria por que as mesas precisaram girar pelo mundo afora antes de os médiuns entrarem em cena como intermediários do além:

> Primeiro chamamos a vossa atenção por meio de fenômenos capazes de ferir-vos os sentidos e agora vos damos instruções, que cada um de vós se acha encarregado de espalhar. Com este objetivo é que ditamos *O livro dos espíritos.*

Blasfêmia! — diziam os católicos. Fogo! — recomendaria a Santa Sé em Barcelona, no ano seguinte. A temperatura subia.

De Marselha, pelas mãos de outro médium, Jorge Genouillat, chegou nova mensagem endereçada a Kardec. Um texto intitulado "Futuro do espiritismo", datado de 15 de abril de 1860. A Igreja que se cuidasse:

> O espiritismo restaurará a religião do Cristo, que se tornou nas mãos dos padres objeto de comércio e de tráfico vil (...). Extinguirá para sempre o ateísmo e o materialismo, aos quais alguns homens foram levados pelos incessantes abusos dos que se dizem ministros de Deus.

Também de Marselha Kardec recebeu uma carta com a notícia de que os padres da cidade estavam debruçados sobre a leitura de *O livro dos espíritos*. Para checar a informação, evocou o Espírito da Verdade, no dia 10 de junho, na casa de outra médium, a sra. Schmidt. Notícia confirmada:

— A parte esclarecida do clero estuda o espiritismo mais do que o supões.

Mas que Kardec não se entusiasmasse:

— Não creias que seja por simpatia; ao contrário, é à procura de meios para combatê-lo e eu te asseguro que rude será a guerra que lhe fará.

Amontoado de blasfêmias

Em janeiro de 1861, o redator do influente jornal católico *La Bibliotegraphie Catholique*, Georges Gandy, lançou uma série de impropérios contra a "pretensa doutrina espírita", que desclassificava como um "amontoado de absurdos, de contradições, de hipocrisias e de blasfêmias".

E não adiantaria Kardec apregoar em seus livros e discursos o caráter cristão da doutrina nem a importância moral dos valores difundidos por ela, como a caridade e a devoção a Deus, descrito nas primeiras linhas de *O livro dos espíritos* como eterno, imutável, imaterial, único, todo-poderoso e soberanamente justo e bom.

Para Georges Gandy, tanto espírito cristão não passava de balela, ou pior, de estratégia para a conquista de novos adeptos entre os católicos:

> O espiritismo tenta glorificar o cristianismo para o aviltar, espalhá-lo para o suprimir, afetando o respeito pelo divino Salvador, a fim de substituir o seu reino imortal pelo despotismo dos ímpios devaneios.

Em muitas igrejas, párocos usavam o púlpito para conclamar os fiéis a manter distância da nova seita. Em sermões virulentos, o espiritismo era definido como "obra do demônio", e as reuniões, que atraíam cada vez mais adeptos, denunciadas como "encontros satânicos". A sobrevivência da alma e o poder de comunicação dos mortos com os vivos não passariam de ilusões, mistificações perversas destinadas a levar os crédulos à loucura ou ao inferno.

Era preciso cuidado, muito cuidado, porque o fim destinado a quem se unisse a estes adoradores de satã em busca de mensagens do além seria um só: a danação eterna.

As pregações contrárias ao espiritismo provocavam, muitas vezes, o efeito inverso. Movidos pela curiosidade — e pela esperança de contato com os mortos queridos —, católicos faziam o sinal da cruz e adentravam os salões espíritas. A mãe que implorava notícias do filho morto; o pai destroçado por ser o único sobrevivente da família à epidemia de cólera; a jovem viúva grávida, inconformada com a partida repentina do marido no dia de seu aniversário; os familiares do suicida que se lançou nas águas geladas do Sena.

Por quê?

Aceita; perdoa; compreende; porque estava escrito; porque são muitas as dívidas a resgatar... e porque a vida continua para todo o sempre, e o que parece insuportável e injusto hoje se tornará mais leve e compreensível em breve.

Mensagens como estas atraíam um número cada vez maior de adeptos. E a descrição das conversas com os visitantes do além, promovidas nas sessões privadas da Sociedade, arrebatava os leitores da *Revista Espírita*.

Naquele ano, uma velha conhecida de Kardec, a sra. Bertrand, estudiosa do espiritismo, voltou à sede da Associação para relatar sua experiência "do outro lado". Morta semanas antes, após longa e dolorosa doença, ela poderia confirmar ou não, agora na prática, as revelações de *O livro dos espíritos*:

— Testemunhastes o instante da morte do vosso corpo?

— Esgotado por longos sofrimentos, meu corpo não teve que passar por uma grande luta. Minha alma destacou-se dele como o fruto maduro que cai da árvore. O aniquilamento completo de meu ser impediu-se de sentir a última angústia da agonia.

— Vistes imediatamente outros espíritos vos cercar?

— Logo vieram me receber. Então desviei o pensamento do meu eu terreno, e o eu espiritual transportado abismou-se no delicioso prazer das coisas novas e conhecidas que reencontrava.

A cada diálogo póstumo divulgado, a cada exemplar vendido de *O livro dos espíritos*, a cada edição impressa da *Revista Espírita* e a cada viagem de Allan Kardec, a nova doutrina se espalhava, apesar dos ataques da *Gazetta de Lyon* ou do *La Bibliographie Catholique*... e também graças às polêmicas geradas por essas publicações.

Em um ano, o novo *O livro dos espíritos* esgotou três edições. Livreiros e leitores dos mais diversos países encomendaram exemplares: Rússia, Alemanha, Itália, Inglaterra, Espanha, Estados Unidos, México e, sim, Brasil. Em 1º de janeiro de 1861, data da renovação de assinaturas da *Revista Espírita*, o número de assinantes aumentara 33% em relação ao mesmo período do ano anterior. E ainda foi preciso reimprimir exemplares de edições esgotadas para atender interessados em adquirir coleções completas da publicação.

De todos os cantos da França e do exterior, Kardec recebia notícias sobre a fundação de novas sociedades espíritas, voltadas aos estudos da doutrina. Mais de cem, pelas contas dele no início de 1861.

"O que dirão os antagonistas da doutrina espírita?" — Kardec perguntou em novo artigo na *Revista Espírita*, em janeiro daquele ano, e fez questão de responder com a ironia habitual:

Dirão que o número de loucos aumenta. Sim: aumenta de tal modo que em pouco tempo os loucos serão mais numerosos que a gente sensata.

Ele se lançava ao campo de batalha, mas tomava cuidado para preservar seu QG, a sede da Sociedade. Em mensagem distribuída aos companheiros de luta, Kardec relembrou o objetivo central da Associação: o estudo da ciência espírita, com "calma e recolhimento": "Não formamos nem uma seita, nem uma sociedade de propaganda, nem uma corporação com interesse comum."

Era um lembrete importante também para o próprio Kardec, enquanto afiava as armas e ia à luta cumprir os designíos da mensagem do Espírito da Verdade. Era preciso agir com cautela e firmeza, de acordo com as novas orientações do "espírito protetor", postas no papel pela médium Schmidt:

> — Evita cuidadosamente em tuas palavras e nos teus escritos tudo o que possa fornecer armas contra ti.

Nesta mesma mensagem, o Espírito da Verdade deixou escapar uma informação preocupante, revelada logo após palavras de estímulo:

> — Prossegue em teu caminho sem temor; ele está juncado de espinho, mas eu te afirmo que terás grandes satisfações, antes de voltares para junto de nós "por um pouco".

Intrigado com o anúncio de sua volta, Kardec perguntou:

> — Que queres dizer por essas palavras "por um pouco"?

A julgar pela resposta a seguir, ele morreria antes de concluir seu trabalho e mal teria tempo de descansar no além antes de voltar ao batente.

> — Terás de retornar à Terra para concluir a tua missão, que não podes terminar nesta existência.

Por que, então, não dar mais tempo ao combatente, para evitar estas idas e vindas?

— Se fosse possível, absolutamente, não sairias daí, mas é preciso que se cumpra a lei da natureza. Ausentar-te-ás por alguns anos e, quando voltares, será em condições que te permitam trabalhar desde cedo.

Mas nem tudo estava perdido:

— Há trabalhos que convém os acabes antes de partires; por isso, dar-te-emos o tempo que for necessário a concluí-los.

Pelas suas contas — não confirmadas pelos amigos invisíveis —, Kardec teria ainda cerca de dez anos de vida. Era preciso ter calma, sim... e pressa também.

Manual de instruções

Em janeiro de 1861, Kardec anunciou o lançamento de uma nova obra: *O livro dos médiuns*, um guia prático destinado aos interessados em desenvolver as aptidões mediúnicas, decifrar os mecanismos de comunicação com o além ou desvendar fraudes por trás de supostos intercâmbios sobrenaturais.

Se *O livro dos espíritos* era uma obra filosófica, este era um manual de instruções. O subtítulo, mais uma vez, buscava ser o mais esclarecedor e atraente possível:

> Guia dos Médiuns e dos Evocadores — Ensino especial dos espíritos sobre a teoria de todos os gêneros de manifestações, os meios de comunicação com o mundo invisível, o desenvolvimento da mediunidade, as dificuldades e os tropeços que se podem encontrar na prática do espiritismo... constituindo o seguimento d'*O livro dos espíritos*.

Em um dos capítulos do novo livro — intitulado "Do charlatanismo e do embuste" —, Kardec listava uma série de artifícios usados por *falsos médiuns* para trapacear. No topo do ranking de manifestações mais enganadoras, estariam, segundo ele, os fenômenos físicos — "porque impressionam mais a vista do que a inteligência".

Levitações, giros de mesas, pancadas inexplicáveis, aparições — era preciso estar atento ao risco de farsas em espetáculos como estes, sujeitos ao "emprego de tramoias e do compadrio":

> A fraude se insinua por toda parte e sabemos que, com habilidade, até mesmo uma cesta pode ser dirigida à vontade, com todas as aparências dos movimentos espontâneos.

O único antídoto contra tanta enganação seria, de acordo com Kardec, a análise do conteúdo — e do propósito — das comunicações do além. Muitas mensagens, insistia, estariam muito acima das capacidades ou conhecimentos de determinados médiuns:

> Reconhecemos que o charlatanismo dispõe de grande habilidade e vastos recursos, mas ainda lhe não descobrimos o dom de dar saber a um ignorante, nem espírito a quem não o tenha...

Outro cuidado fundamental aos que quisessem percorrer este território nebuloso — e tão sujeito a farsas — era o de agir como um observador cuidadoso das circunstâncias e do comportamento dos envolvidos em cada manifestação do "mundo invisível":

> Julgamos que se deve desconfiar de quem quer que faça desses fenômenos um espetáculo ou objeto de curiosidade e de divertimento, e que pretenda produzi-los à sua vontade (...).
>
> O verdadeiro espiritismo jamais se dará em espetáculo, nem subirá ao tablado das feiras.

Kardec estava preocupado com a quantidade de curiosos ávidos por testemunhar maravilhas do outro mundo, e ficava impressionado com o número de pessoas dedicadas a repousar os dedos sobre uma mesa, na esperança de vê-la girar, ou a equilibrar o lápis sobre o papel, na expectativa de vê-lo preencher páginas em branco com mensagens do além. Um prato cheio aos oportunistas e um risco à credibilidade da doutrina.

Era preciso muito estudo para entender os limites e objetivos desse intercâmbio — ele afirmava, com frequência cada vez maior, em conversas com médiuns ou candidatos a médiuns.

Todos carregaríamos, sim, o "gérmen da mediunidade" dentro de nós, mas nem todos estariam aptos a emprestar seu corpo e sua voz aos mortos. Kardec, por exemplo, nunca conseguiu fazer contato direto com espíritos, sem a intervenção de médiuns. Por quê? Uma passagem do novo livro comparava a mediunidade a dons artísticos:

> As regras da poesia, da pintura e da música não fazem que se tornem poetas, pintores ou músicos os que não têm o gênio de alguma dessas artes.

Era preciso estudar a fundo a nova ciência e a nova filosofia e era preciso também tomar cuidado com os homens... e com os espíritos — ele repetia.

> A confiança cega nessa superioridade absoluta dos seres do mundo invisível tem sido, para muitos, a causa de não poucas decepções. Esses aprenderão à sua custa a desconfiar de certos espíritos, tanto quanto de certos homens.

Em reunião na sede da Sociedade, a 5 de abril de 1861, Kardec exigiria assiduidade e perseverança dos companheiros de doutrina, e condenaria, mais uma vez, a presença de ouvintes eventuais nas sessões:

> — A verdadeira convicção só se adquire pela leitura, pela reflexão e por uma observação contínua, e não assistindo a uma ou duas sessões, por mais interessantes que sejam.

A estratégia estava funcionando. A cada dia, aumentava o número de espíritas convertidos não graças ao testemunho de fenômenos mágicos, mas ao estudo de *O livro dos espíritos*.

— Eis por que dizemos: estudai primeiro e vede depois, porque compreendereis melhor.

No longo discurso aos companheiros de Sociedade, Kardec não recorreria a conselhos espirituais ou a mensagens do além para defender seus pontos de vista:

— Antes de instruir os outros, quisemos nós próprios nos instruir. O espiritismo é uma ciência e, como qualquer outra ciência, não se aprende brincando.

Além disso, era preciso tratar com respeito os visitantes invisíveis:

— Tomar as almas que se foram como assunto para distração seria faltar ao respeito a que fazem jus: especular sobre sua presença e sua intervenção seria impiedade e profanação.

Protegido dos olhares curiosos, um novo espírito logo se manifestaria, por escrito, na sede da Sociedade Espírita.

A visita de um suicida

— Sofro! Sou um condenado.

A expressão da médium era de dor enquanto colocava no papel o desabafo do visitante, evocado por Kardec a pedido do irmão do morto. Dois anos antes, ele cometera suicídio no Sena.

— Vossa morte foi voluntária?

A letra era grande, irregular e quase ilegível. A resposta confirmou a causa da morte:

— Sim.

A médium escreveu e, instantes depois, transtornada, quebrou o lápis ao meio e rasgou o papel.

— Tende calma. Rogaremos por vós a Deus.

Já com expressão mais leve, a médium retomou a escrita:

— Que motivo vos levou a destruirdes?
— Tédio da vida sem esperança.

— Sois mais feliz agora?

— O nada não existe! Minha alma está como num braseiro, horrivelmente atormentada.

Kardec dividiu com os leitores da *Revista Espírita* todo o diálogo — uma longa conversa, que se arrastaria por três páginas — e pontuou as perguntas e respostas com comentários dirigidos a quem via a morte como o fim, uma solução para os sofrimentos da vida: "Pelo suicídio não se escapa a um mal, mas se cai num outro mal cem vezes pior" — afirmou.

Neste artigo, publicado em fevereiro de 1861, revelou também aos leitores uma das dúvidas que o mobilizaram em suas pesquisas: se todos nós somos "espíritos" e conhecemos os "mundos espirituais", como podemos renascer na Terra tão materialistas, sem a consciência de que a vida continua através dos tempos, em outras dimensões?

> Essa intuição é recusada, como castigo, a certos espíritos que conservaram o orgulho de existências anteriores e não se arrependeram de suas faltas.

O esquecimento seria também uma bênção, porque a lembrança de existências passadas provocaria uma "penosa confusão" em nossas vidas.

Relatos como estes, de suicidas em desespero, ajudavam a evitar muitas mortes. Kardec seria saudado, ao longo dos anos, por vários leitores gratos, que atribuíam a seus livros e a seu trabalho o fato de continuarem vivos e com esperanças renovadas.

Estas demonstrações de gratidão, testemunhos de vidas salvas pelo espiritismo, aumentavam o inconformismo de Kardec diante dos céticos.

Para ele, o ceticismo também matava.

E foi com o dedo em riste que fez uma acusação aos antagonistas da doutrina, os "materialistas" para quem a vida depois da morte não passaria de ilusão:

> Muito culpados são aqueles que, por sofismas científicos e no suposto nome da razão, se esforçam por prestigiar esta ideia desesperada, fonte de tantos males e crimes, de que tudo acaba com a morte.

Procuram-se médiuns

Em busca de contatos com o além, adeptos do espiritismo passaram a promover reuniões em casa ou em associações dedicadas ao estudo da doutrina. Já que as portas da Sociedade fundada por Kardec não estavam abertas a todos — até mesmo por falta de espaço —, o melhor seria seguir o exemplo do mestre e abrir "filiais" na própria cidade ou no próprio bairro.

Com *O livro dos médiuns* à mão, os estudiosos da nova doutrina — ou ciência e filosofia, como preferia Kardec — seguiriam as instruções contidas na obra para estabelecer comunicações com o invisível.

O capítulo XIX do manual era inspirador: "Todo aquele que sente, num grau qualquer, a influência dos espíritos é, por esse fato, médium." Mas esta boa-nova era seguida por outra, menos empolgante: "Essa faculdade não se revela, da mesma maneira, em todos."

O dom poderia ser apenas rudimentar, como nos médiuns sensitivos — "suscetíveis a sentir a vaga presença dos espíritos" —, ou espetacular e, portanto, raro, como no caso de médiuns de efeitos físicos, capazes de levitar e gerar fenômenos como a suspensão de objetos e a materialização de espíritos.

Outras várias categorias intermediárias de mediunidade estimulavam os fundadores das novas sociedades a ir em frente. Quem sabe não haveria entre eles um médium *audiente*, dotado do dom de ouvir a voz dos espíritos e transmitir suas mensagens? Ou um falante, cujas cordas vocais fossem utilizadas pelos espíritos para se comunicar? Ou ainda um vidente, como o já citado Adrien, capaz de enxergar o invisível?

Todos estes médiuns seriam muito bem-vindos em qualquer associação, mas uma categoria, em especial, traria ainda mais alegria, consolo e esperança a qualquer grupo: a dos escreventes ou psicógrafos, protagonistas de um capítulo inteiro em *O livro dos médiuns*: "De todos os meios de comunicação, a escrita manual é o mais simples, mais cômodo e, sobretudo, mais completo" — afirmaria Kardec já na primeira linha.

O método — que originou *O livro dos espíritos* e *O livro dos médiuns* — ofereceria uma grande vantagem sobre as outras opções do catálogo mediúnico: "Para o médium, a faculdade de escrever é a mais suscetível de desenvolver-se pelo exercício."

Nesta categoria, ensinava Kardec, eram vários os caminhos a seguir.

O médium mecânico não teria qualquer consciência do que escreve. Seria apenas um instrumento para o espírito, que atuaria diretamente sobre sua mão e a impeliria da primeira à última frase da mensagem. Já no médium intuitivo o movimento seria voluntário e facultativo, e o psicógrafo teria, sim, consciência do que escreve, embora sem exprimir seu pensamento. O médium semimecânico ficaria no meio do caminho:

> Sente que à sua mão uma impulsão é dada, independente de sua vontade, mas, ao mesmo tempo, tem consciência do que escreve, à medida em que as palavras se formam.

Kardec já testara e experimentara, através de diversos médiuns, todos os principais canais de comunicação com o além. Era com conhecimento de causa, portanto, que descrevia cada sistema.

Mas havia um problema: por mais que seguissem à risca as instruções de *O livro dos médiuns*, muitos leitores não conseguiam fazer qualquer conexão com o outro mundo.

Oravam, liam trechos das obras de Kardec, evocavam guias protetores, equilibravam o lápis sobre as páginas em branco e... nada. Muitos desistiam após horas de expectativa e ansiedade, e encerravam de vez as atividades para não frustrar os visitantes nem se expor ao ridículo.

Queixas e pedidos de socorro começaram a chegar à sede da Sociedade Espírita e Kardec decidiu publicar, então, na *Revista Espírita*, em março de 1861, uma lista de novas instruções aos adeptos.

Antes de tudo era preciso dar atenção especial a uma das frases de *O livro dos médiuns*: "Os médiuns são comuns, mas os bons médiuns, na verdadeira acepção da palavra, são raros." E um bom médium, segundo Kardec, estava longe de ser perfeito. Seria apenas o "menos enganado" pelos maus espíritos.

A falta de intermediários com o além, no entanto, não deveria ser obstáculo à realização de reuniões espíritas. O médium — afirmou Kardec — não era uma presença indispensável nas sessões espíritas, como os músicos o eram em um concerto, onde o show é fundamental: "Numa reunião espírita, nós vamos — ou deveríamos ir — para nos instruir."

Mas como suprir, então, a "escassez de bons médiuns" nas reuniões, sem cruzar os braços nem interromper as sessões?

A lista de atividades substitutas era um tanto frustrante para quem esperava se deslumbrar com fenômenos do além:

> Reler e comentar as antigas comunicações, cujo estudo aprofundado fará ressaltar melhor o seu valor.
>
> Contar fatos de que se tem conhecimento, discuti-los, comentá-los, explicá-los pelas leis da ciência espírita (...); examinar a parte da imaginação e da superstição.
>
> Ler, comentar e desenvolver cada artigo de *O livro dos espíritos* e de *O livro dos médiuns*, bem como de todas as outras obras sobre o espiritismo.
>
> Discutir os vários sistemas sobre interpretação dos fenômenos espíritas.

As sessões da Sociedade de Estudos Espíritas de Kardec, descritas nos vários números da *Revista Espírita*, pareciam bem mais atraentes.

Vejo uma grande claridade

Em 22 de abril de 1861, um adolescente de 14 anos, Jules Michel, morto oito dias antes, entrou em contato através da médium Costel, mãe do melhor amigo dele, ainda inconsolável. O que dizer aos amigos e à mãe, devastada pela dor?

> — Estou morto? Vejo, vivo, penso como antes, apenas não me posso tocar e não reconheço nada do que me cerca.

As primeiras sensações da vida fora do corpo — "deitado, duro, naquele buraco onde não estou" — eram descritas assim pelo visitante invisível:

> — Vejo uma grande claridade; meus pés não tocam o solo; deslizo; sinto-me arrastado. Vejo figuras brilhantes e outras envoltas em branco; pressionam-me e me rodeiam; uns me sorriem, outros me metem medo com seus olhares negros.

As lembranças do momento da morte eram confusas:

— Não me lembro muito do que senti. Tinha muita dor de cabeça (...). Estava entorpecido, queria mover-me e não podia, as mãos estavam molhadas de suor e sentia um grande trabalho em meu corpo.

Mas tudo terminara bem:

— Nada mais senti e despertei muito aliviado, leve como uma pluma.

Para os descrentes, a médium poderia ter forjado a mensagem para consolar o próprio filho e a mãe do morto.

No fim daquele mês, o camponês Henri Mondeux, recém-falecido aos 34 anos, também se manifestou na Sociedade. Quando ainda vivia em Touraine, tornara-se atração pública e notícia de jornal por um talento extraordinário: apesar de analfabeto e de jamais ter estudado, era capaz de resolver as mais complexas questões da aritmética de cabeça e em velocidade impressionante.

Como explicar este dom?

— Eu tinha a faculdade de ler em meu espírito os resultados imediatos de um problema. Eu tinha apenas de ler; eu era médium vidente e calculador... um livrinho de cálculo, de antemão preparado.

O diálogo terminou sem desafios póstumos de matemática.

Para os adversários da doutrina, atribuir ao sobrenatural prodígios da inteligência era um atentado à ciência.

Pouco depois, um espírita fervoroso, o dr. Glass, também mandou mensagens do mundo de lá através de um médium da Sociedade. Morto há quase cinquenta dias, agradecia por ter tido contato com a doutrina antes de fazer a "passagem".

— Eu tive em mim, assim que morri, o perfeito conhecimento de mim mesmo e entrevi com calma aquilo que tantos outros temem com tanto pavor.

Para os antagonistas, testemunhos como estes eram mera propaganda para atrair novos adeptos. Para os espíritas, eram evidências da sobrevivência, ou melhor, da imortalidade do espírito.

Eles, os espíritos, estariam em todo canto, à nossa volta, e exerceriam influência constante sobre cada um de nós, para o bem e para o mal. Mentirosos, traiçoeiros, generosos, obstinados, covardes, dissimulados, brilhantes, obtusos — humanos, enfim, quase concretos, de acordo com este trecho de *O livro dos médiuns*:

> O espírito não é, pois, um ponto, uma abstração; é um ser limitado e circunscrito, ao qual só falta ser visível e palpável, para se assemelhar aos seres humanos. Por que, então, não haveria de atuar sobre a matéria? Por ser fluídico o seu corpo? Mas onde encontra o homem os seus mais possantes motores, senão entre os mais raros fluidos, mesmo entre os que se consideram imponderáveis, como, por exemplo, a eletricidade?

Para Kardec não havia dúvidas: cedo ou tarde, todos deveriam se render às evidências.

O jornalista Louis Jourdan, do *Le Causeur*, não se entregaria tão facilmente. No livro *Um filósofo ao pé do fogo*, publicado naquele mesmo 1861, ele confirmou que lera e se surpreendera com *O livro dos espíritos*.

Nas páginas da obra — escreveu Jourdan —, uma nova doutrina ganhara corpo:

> É um sistema completo, e não experimento nenhum embaraço em reconhecer que, se o sistema não tem a coesão poderosa de uma obra filosófica, se contradições aparecem aqui e ali, é pelo menos muito notável por sua originalidade, por seu alto alcance moral, pelas soluções imprevistas que dá às delicadas questões que, em todos os tempos, inquietaram ou ocuparam o espírito humano.

Mas isso — continuava — não o obrigaria a acreditar em quaisquer revelações atribuídas a espíritos superiores:

> O que repilo absolutamente é que, sob pretexto de revelação, venham dizer-me: "Deus falou, portanto ides submeter-vos. Deus falou pela boca de Moisés, do Cristo, de Maomé, portanto seres judeus, cristão ou muçulmanos, senão incorrereis nos castigos eternos e, enquanto esperamos, iremos amaldiçoar-vos e vos torturar aqui."

O jornalista exigia respeito ao direito de não crer:

> Acima de todas as revelações, de todas as inspirações, de todos os profetas presentes, passados e futuros, há uma suprema lei: a lei da liberdade.

E exigia mais: "Quero perder minha alma, se isto me apraz."

Multiplicai os grupos

Nem todos tinham a disposição de Louis Jourdan. Movidos pela esperança — e também pela leitura das obras de Kardec —, muitos adeptos da nova doutrina se reuniram para abrir as próprias sociedades, com ou sem médiuns atuantes. O espiritismo conquistava mais e mais espaço, e incomodava mais e mais adversários.

Em novo banquete na cidade de Lyon, o mestre foi homenageado mais uma vez. E mais uma vez conclamou os discípulos a se unirem para enfrentar o sarcasmo, a zombaria, a troça, a "ciência e os anátemas". Neste encontro, Kardec defendeu a adesão de todos a um objetivo comum, uma espécie de slogan que logo se transformaria em estandarte do espiritismo: "Fora da caridade não há salvação."

Caridade no sentido mais amplo, de acordo com as novas definições do mestre: "sentimento de benevolência, justiça e indulgência em relação ao próximo, baseado no que gostaríamos que o próximo nos fizesse".

Em plena Revolução Industrial — quando trabalhadores de todas as idades, crianças e mulheres inclusive, eram massacrados em rotinas escravizantes —, aquela convocação mobilizava os aliados e soava também como provocação aos adeptos do catolicismo, fiéis a outro princípio então em voga: "Fora da Igreja não há salvação."

Kardec estava otimista. Juntos, os adeptos da nova doutrina conseguiriam combater as injustiças do materialismo. Sua esperança era tanta que, em seu discurso em Lyon, chegou a conjugar o verbo no passado ao se referir à falta de fé ainda vigente:

— O materialismo ameaçava fazer a sociedade mergulhar em trevas ao afirmar aos homens: "O presente é tudo, o futuro não existe." O espiritismo corrige esta distorção ao afirmar: o presente é bem pouco, mas o futuro é tudo."

Seu entusiasmo era evidente, e não à toa:

— Este último ano viu o espiritismo crescer em todos os países numa proporção que ultrapassou todas as esperanças: está no ar, nas aspirações de todos, e por toda parte encontra ecos, bocas que repetem: "Eis o que eu esperava, o que uma voz secreta me fazia pressentir."

O movimento alcançara, segundo ele, uma nova fase: a da coragem. Adeptos que antes escondiam sua fé já se confessavam espíritas, com orgulho, sem medo de achaques e retaliações.

Durante a palestra, Kardec perguntou:

Tal movimento pode estacionar? Poderão detê-lo? Não.

Em seguida, enumerou os principais antagonistas que se mobilizavam contra a doutrina: os incrédulos, que a ridicularizavam; os ignorantes, que a combatiam sem a conhecer; e — os mais perigosos, "tenazes e pérfidos" — os adversários movidos por interesses materiais ou por sede de poder.

— Esses combatem na sombra, e as flechas envenenadas da calúnia não lhes faltam.

Antes de encerrar, Kardec convocou os adeptos a "multiplicar os grupos o mais possível" e a disseminar associações por todo canto:

— Que haja dez, que haja cem, se necessário, e ficai certos de que nossa jornada será mais rápida e mais segura.

No encontro, foi lida também uma mensagem atribuída ao espírito de Erasto, o discípulo do apóstolo Paulo de Tarso. Chegara o momento de todos os grupos do movimento se unirem para evitar cisões, disputas e dissidências.

— Como em tudo, a união faz a força e tendes necessidade de ser fortes e unidos, para fazer frente às tempestades que se aproximam.

Em *O livro dos médiuns*, Kardec dera a Erasto crédito por várias respostas e por uma frase repetida à exaustão desde então: "Melhor repelir dez verdades do que admitir uma única falsidade, uma só teoria errônea."

De acordo com as orientações do guia espiritual, todos deveriam seguir o exemplo dos adeptos da cidade de Bordeaux, onde grupos particulares atuavam como satélites em torno de um central, subordinado, ou melhor, "em comunicação direta" com a Sociedade Iniciadora de Paris, a associação fundada por Kardec.

Com este organograma, seria possível, segundo Erasto, repelir erros nas comunicações com o além e evitar absurdos cometidos nos "ditados mentirosos e astuciosos emanados de uma turba de espíritos enganadores, imperfeitos ou maus".

Por esta proposta, Kardec seria, em primeira e última instância, líder e fiscal de todo o movimento. Para sacramentar a estrutura, um documento ganhava corpo sob o título *Projeto de regulamento — para o uso de grupos e pequenas sociedades espíritas.*

Parágrafo II: "A sociedade declara aderir aos princípios formulados em *O livro dos espíritos* e em *O livro dos médiuns*." E na sequência: "A sociedade toma por divisa: 'Fora da caridade não há salvação.'"

Faltava pouco para que se cumprisse outro trecho da mensagem do Espírito da Verdade sobre a missão do professor Rivail: "Estarás sujeito à calúnia, à traição, ainda dos que te parecerão os mais dedicados."

Kardec ainda não sabia — nem seria avisado por seus protetores espirituais —, mas um dos mais novos adeptos da doutrina, o então insuspeito Jean-Baptiste Roustaing, comprometeria seu projeto de unir forças e evitar dissidências no movimento.

Naquele ano, em junho de 1861, Roustaing, advogado do Tribunal Imperial de Bordeaux, ganhou destaque nas páginas da *Revista Espírita* com uma longa carta de apoio ao "muito honrado chefe espírita".

"Nada vi, mas li e compreendi; e creio", declarou, ainda sob o impacto da leitura de *O livro dos espíritos*.

O texto era um testemunho de fé e de lealdade ao mestre:

> Deus me recompensou bem por ter crido sem ter visto; depois vi e vi bem; vi em condições proveitosas, e a parte experimental veio animar a fé que a parte doutrinária me dera.

O advogado parecia seguir à risca todas as instruções de Kardec: foco na observação e dedicação à pesquisa, de acordo com o método do "vede, tocai, compreendei e crede": "Depois de ter estudado e compreendido, eu conhecia o mundo invisível como conhece Paris quem a estudou sobre o mapa."

A mensagem terminava como uma confirmação da "fase de coragem" celebrada por Kardec no evento de Lyon:

> Podeis fazer desta carta o uso que achardes conveniente. Eu me honro de ser altamente e publicamente espírita. Roustaing, advogado.

Em pouco tempo, porém, Roustaing sairia do mapa traçado por Kardec.

As fogueiras da Inquisição

Por enquanto, o perigo ainda vinha de fora. A tempestade anunciada por Erasto começaria a se formar nos céus de Barcelona no segundo semestre de 1861, quando Kardec enviou duas caixas, com trezentas obras espíritas, ao amigo, escritor e editor Maurice Lachâtre. Condenado a cinco anos de prisão por Napoleão III — pelas "ofensas ao Império" publicadas no célebre *Dicionário universal ilustrado* —, Maurice vivia exilado em Barcelona, onde montara uma livraria para sobreviver.

Entusiasmado com *O livro dos espíritos* e com o recém-lançado *O livro dos médiuns*, estava disposto a propagar por toda a Espanha a "nova revelação". Autor de *História dos papas* e *História da Inquisição*, Lachâtre escreveu uma carta entusiasmada a Kardec sobre a doutrina dos espíritos:

> Ela encerra em si os elementos de uma transformaçao geral das ideias, e a transformação nas ideias conduz forçosamente à da sociedade.

Naquele ano, as ideias de Kardec ganharam força na Espanha graças a uma brochura intitulada *Carta de um espiritista a don Francisco de Paula Canalejas*. Um longo manifesto em favor da doutrina assinado pelo ilustre escritor espanhol Alberico Péron, futuro membro da Aca demia de Letras

Os exemplares enviados por Kardec desembarcaram no porto espanhol em setembro, passaram por todos os trâmites burocráticos de praxe — inspeção pelos fiscais e pagamento das taxas alfandegárias, por exemplo —, mas não chegaram às mãos de Lachâtre.

Quando estava prestes a ser liberada, a carga foi confiscada por "ordem superior". A entrega só seria autorizada com o consentimento expresso do bispo de Barcelona, Antônio Palau y Termens. Emissários violaram as caixas para levar um exemplar de cada obra ao bispo.

Na coleção preparada por Kardec estavam seus livros — *O livro dos espíritos*, *O livro dos médiuns* e *O que é o espiritismo* — e outras quatro obras: *Fragmento de sonata* (aquele que teria sido ditado pelo espírito de Mozart ao médium Bryon-Dorgeval), *Carta de um católico sobre o espiritismo*, do dr. Grand, *História de Joana D'Arc por ela mesma* (psicografada por Ermance Dufaux) e *A realidade dos espíritos demonstrada pela escrita direta*, do barão de Guldenstubbé, além das coleções da *Revue Spiritualiste*, redigida por Piérart, e da *Revista Espírita*.

O veredito do bispo veio rápido: confisco. E pior: fogueira. Os livros — "imorais e contrários à fé católica" — deveriam ser queimados em praça pública por ordem do Santo Ofício. E não adiantava apelar.

Kardec, é claro, apelou. A entrada dos livros em território espanhol fora autorizada pela alfândega e todas as taxas estavam pagas. A apreensão da carga feria, portanto, o direito internacional. Além disso, a destruição das obras seria um ato arbitrário e contrário ao direito comum e à soberania da França.

Os argumentos não convenceram o bispo, que se manteve irredutível, e Kardec fez, então, uma última proposta: já que os livros não poderiam circular na Espanha, que fossem devolvidos ao país de origem. Nada feito.

Doutor em teologia, catedrático do Seminário de Barcelona, cônego magistral de Tarragona e autor de várias obras religiosas, o bispo Antônio Palau y Termens manteve sua decisão: fogo. E ainda emitiu a seguinte nota:

> A Igreja Católica é universal e, sendo estes livros contrários à fé católica, o governo não pode consentir que eles pervertam a moral e a religião de outros países.

Kardec ficou indignado: um bispo estrangeiro agia como juiz do que convinha ou não convinha ao mundo todo! Pensou em recorrer à diplomacia dos governos da França e da Espanha, mas desistiu a tempo. Uma nova orientação assinada pelo Espírito da Verdade o convenceu a desistir da luta pela devolução das obras:

> — Por direito, podes reclamá-las e conseguirias que te fossem restituídas, se te dirigisses ao ministro de Estrangeiros da França. Mas, a meu ver, desse auto de fé resultará maior bem do que o adviria da leitura de alguns volumes. A perda material nada é diante da repercussão que semelhante fato produzirá em favor da doutrina.

Um conselho certeiro. O auto de fé de Barcelona estava prestes a se transformar num marco na história do espiritismo.

Os fantasmas da Inquisição, tão bem-retratados por Lachâtre em suas obras, se materializaram na manhã de 9 de outubro de 1861 na esplanada da Cidadela de Barcelona, no bairro La Ribera, palco da execução dos condenados à morte na cidade. A "queima de livros" seguiu o protocolo eclesiástico.

Um padre, vestido com trajes solenes, segurava uma cruz com a mão direita e uma tocha, com a esquerda. A seu lado, o tabelião, encarregado de redigir a ata do auto de fé, e um escrevente. Foram eles que registraram a presença dos demais participantes do evento: um funcionário superior, um agente e três serventes da Alfândega, trio responsável por atiçar o fogo.

Uma multidão silenciosa acompanhou o evento. Quando o fogo reduziu a cinzas os trezentos livros hereges, gritos ecoaram na praça: "Abaixo a Inquisição!"

Sob protestos dos espectadores mais indignados, o cortejo liderado pelo padre se retirou. Em meio à fumaça, muitos curiosos se aproximaram para recolher das cinzas restos de páginas queimadas. Entre eles um certo capitão Lagier, comandante do vapor El Monarca. Diante do desalento de muitos simpatizantes do espiritismo, ele exclamou em voz alta:

> — Eu vos trarei, na próxima viagem de Marselha, todos os livros que quiserdes.

Muitas obras espíritas passariam a desembarcar na Espanha pelas mãos do comandante e seus subordinados.

Dos restos do incêndio, chegaram às mãos de Kardec um punhado de cinzas e um fragmento de *O livro dos espíritos*. Lembranças que ele fez questão de conservar numa urna de cristal.

Depois das cinzas

O jornal *Diário de Barcelona* foi o primeiro a noticiar a "celebração" do auto de fé. E comemorou o rigor demonstrado pela Santa Sé:

> Os títulos dos livros queimados bastam para justificar a sua condenação; está no direito e no dever da Igreja fazer respeitar a sua autoridade, tanto mais quanto maior for a liberdade de imprensa, principalmente nos países que gozam da terrível praga da liberdade de culto.

Os concorrentes foram bem menos simpáticos ao atentado eclesiástico. O *La Corona*, também de Barcelona, saiu em defesa do livre pensamento e, "sem emitir opinião sobre o valor das obras queimadas", protestou contra os perigos e as armadilhas do absolutismo: "Ele tenta dar um golpe de força em alguma parte; se é bem-sucedido, atreve-se a mais."

As novas fogueiras da Inquisiçao poderiam ser um precedente perigoso, um aval para outras demonstrações de força descabidas do governo e da Igreja.

Na França, as primeiras reações foram de incredulidade. Muitos jornalistas duvidavam das notícias trazidas da Espanha pelos adeptos do espiritismo. Era mesmo difícil acreditar que as fogueiras da Inquisição ainda ardessem pelas vizinhanças. O jornal *Le Siècle* protestou contra o fato, "lamentável sob todos os aspectos", mas foi uma exceção. A grande imprensa francesa apenas se limitou a registrar o auto de fé, sem tomar posição.

Na *Revista Espírita* de novembro de 1861, Kardec publicou um longo artigo intitulado "Os restos da Idade Média — auto de fé das obras espíritas em Barcelona":

> A perseguição sempre foi proveitosa à ideia que se quer proscrever. (...) Podem queimar-se livros, mas não se queimam ideias: as chamas das fogueiras as superexcitam, em vez de abafar.

No manifesto, uma convocação:

> Espíritas de todos os países! Não esqueçais a data de 9 de outubro de 1861. Que ela seja para vós um dia de festa, e não de luto, porque é o penhor de vosso próximo triunfo!

No ano seguinte, em setembro de 1862, Kardec receberia a visita de um certo Antônio Palau y Termens na sede da Sociedade. Ele mesmo, o bispo de Barcelona, morto pouco antes, em 9 de agosto.

A notícia foi publicada na *Revista Espírita* sob o título "Necrologia". Um dos médiuns colocara no papel uma longa mensagem atribuída ao ex-todo-poderoso, agora autointitulado "Aquele que foi bispo e que não passa de um penitente".

Em muitos trechos, confissões de culpa e arrependimento:

> — Não repilais nenhuma das ideias anunciadas porque um dia, um dia que durará e pesará como um século, essas ideias amontoadas gritarão como a voz do anjo: "Que fizeste do nosso poder, que devia consolar e elevar a humanidade?" (...) Essa voz terrível me disse: "Queimaste as ideias e as ideias te queimarão!"

A mensagem, lida em voz alta na sessão, terminava com uma súplica: "Orai por mim. Orai, porque é agradável a Deus a prece que lhe é dirigida pelo perseguido em favor do perseguidor."

E o artigo de Kardec na revista se encerrava com o perdão:

> Espíritas, perdoemos-lhe o mal que nos quis fazer, como quereríamos que as nossas ofensas nos fossem perdoadas, e roguemos por ele no aniversário do auto de fé a 9 de outubro de 1861.

Doce vingança.

PARTE VI

Sob suspeita e sob pressão

O ÚNICO EM EVIDÊNCIA

Bem antes da "ressurreição" do bispo, em 22 de dezembro de 1861, Kardec lançou mais uma consulta ao invisível. Aos 57 anos, já estava preocupado com sua sucessão. Quem o substituiria à frente da doutrina, no campo de batalha, quando fosse embora? Longe dele considerar-se "indispensável", afirmou, mas alguns adeptos já demonstravam esta preocupação, e por este motivo ele incomodava a espiritualidade com um assunto talvez prematuro.

A resposta, vinda do além pelas mãos do médium D'Ambers, não trouxe grandes consolos nem revelações. Primeiro, um leve "puxão de orelhas":

> — Tens razão ao afirmar que não é indispensável: só o és na visão dos homens, porque era necessário que o trabalho de organização se concentrasse nas mãos de um só, para que houvesse unidade; não o és, porém, aos olhos de Deus.

Apesar de toda a projeção conquistada, ele deveria se colocar no seu lugar — de instrumento. Um instrumento substituível:

— Foste escolhido e por isso é que te vês só; mas não és, como aliás bem o sabes, o único capaz de desempenhar essa missão. Se o seu desempenho se interrompesse por uma causa qualquer, não faltariam a Deus outros que te substituíssem. Assim, aconteça o que acontecer, o espiritismo não periclitará.

No entanto, enquanto o trabalho de elaboração da obra não estivesse concluído, Kardec seria o "único em evidência". Tanto destaque — segundo o comunicante invisível, não identificado — seria estratégico:

— Fazia-se mister uma bandeira em torno da qual pudessem as gentes agrupar-se. Era preciso que te considerassem indispensável, para que a obra que te sair das mãos tenha mais autoridade no presente e no futuro. Era preciso mesmo que temessem pelas consequências da tua partida.

Mas quem seria o sucessor quando a hora chegasse? Kardec e os espíritas teriam de esperar por esta resposta. Uma espera também estratégica:

— Se aquele que te há de substituir fosse designado de antemão, a obra, ainda não acabada, poderia sofrer entraves. Formar-se-iam contra ti oposições suscitadas pelo ciúme; os inimigos da Doutrina procurariam barrar-lhe o caminho, resultando daí cismas e separações.

O sucessor, portanto, só seria revelado no momento certo. E, a julgar pelas mensagens do além, sua missão seria complementar à de Kardec.

— A ti incumbe o encargo da concepção, a ele, o da execução, pelo que terá de ser homem de energia e de ação.

Quem? — Kardec se perguntaria a cada sessão na Sociedade Espírita ou a cada viagem de divulgação da doutrina. Talvez fosse a exaustão, talvez fosse a idade, mas muitas vezes se sentia em plena contagem regressiva.

Pelo correio

Kardec já não conseguia mais dar conta de responder às cartas enviadas de todos os cantos da Europa e de outros países do mundo. A média era de dez por dia. Enquanto a caixa postal lotava, ele usava a *Revista Espírita* para esclarecer as dúvidas mais comuns dos leitores e também para se desculpar aos "correspondentes". "Estou na situação de um devedor que procura um arranjo com os credores, sob pena de deixar o cargo", brincou, em artigo publicado na *Revista Espírita* em março de 1862.

Muitas cartas traziam o mesmo pedido: mensagens de mortos queridos. Será que Kardec poderia ajudar na evocação dos espíritos? Será que, nas sessões privadas da Sociedade, os mortos queridos não poderiam se manifestar, mesmo sem a presença de seus familiares?

Não, Kardec dizia, a não ser em circunstâncias "muito excepcionais". As sessões continuavam fechadas aos sócios, e a autenticidade das mensagens encomendadas por estranhos não poderia ser confirmada sem a presença deles nas sessões. Além disso, os espíritos se manifestavam, com mais facilidade, em grupos formados por pessoas queridas e não por desconhecidos.

A outra justificativa para a impossibilidade da psicografia de mensagens de desconhecidos, vinculados a não sócios, era mais mundana: a falta de tempo dos médiuns da Sociedade, que trabalhavam todos, sem exceção, por "mera gentileza" — sem qualquer recompensa financeira — e mal tinham tempo de cumprir a missão prioritária: passar para o papel instruções de interesse geral.

> Certas evocações não exigem menos de cinco ou seis horas de trabalho, tanto para as fazer quanto para as transcrever e passar a limpo (...) e todas as que me foram pedidas até agora formariam um volume como *O livro dos espíritos.*
>
> Muitas vezes seriam evitadas uma porção de perguntas, se se tivessem lido atentamente as instruções a respeito em *O livro dos médiuns*, capítulo 26.

No capítulo intitulado "Das perguntas que se podem fazer aos espíritos", em *O livro dos médiuns*, a questão 9 era bastante frustrante aos leitores ávidos por informações mais íntimas de seus mortos:

> — De que gênero são as previsões de que mais se deve desconfiar?
>
> De todas as que não tiverem um fim de utilidade geral. As predições pessoais podem quase sempre ser consideradas apócrifas.

Mas nem todas as cartas traziam pedidos de socorro ou dúvidas já respondidas por Kardec em livros e artigos. Um envelope lacrado com cera verde, e remetido quarenta dias depois do auto de fé de Barcelona, portava o testamento de um advogado convertido ao espiritismo.

Ele se sensibilizara com um artigo em que o diretor do Museu Real da Indústria, Jobard — cada vez mais atuante na divulgação da nova doutrina —, arriscava o seguinte cálculo: 20 milhões de francos seriam uma "alavanca poderosa" para adiantar, em um século, a nova era que se iniciava.

Por que não ajudar a doutrina com uma pequena parcela desta soma? Na carta, o benfeitor justificava sua doação:

> Posso e devo consagrar uma notável porção de meu modesto patrimônio a ajudar esta nova era. Esse patrimônio que adquiri para a realização de minhas provas, com o suor de meu rosto, à custa de minha saúde, através da pobreza, da fadiga, do estudo e do trabalho por trinta anos de vida militante de advogado, um dos mais ocupados nas audiências e no escritório.

Kardec divulgaria o gesto aos companheiros da Sociedade Espírita de Paris, sem revelar a identidade do doador. Fazia questão de prestar contas permanentes para evitar, ou pelo menos reduzir, suspeitas e polêmicas.

A cabeça da Medusa

Uma das cartas que Kardec fez questão de responder chegou ainda no início de 1862, uma mensagem de "feliz ano-novo" assinada por quase duzentos adeptos. Em sua resposta, ele alertou os "irmãos e amigos de Lyon" a fim de que se preparassem para novos ataques: "Ficais avisados. A luta não terminou."

Os tempos de zombaria — "arma que se mostrou impotente" — tinham terminado. O espiritismo agora seria encarado como uma "potência" a ser combatida com novas armas: perseguição aos adeptos e intrigas para dividir o movimento.

E por que os adversários tinham interesse em atacar uma doutrina que, como sabiam, só tornava as pessoas melhores e mais felizes? A resposta, para Kardec, era simples:

> Como queríeis que uma doutrina que conduz ao reino da caridade efetiva não fosse combatida por quantos vivem do egoísmo?

Depois de pedir coragem a seus combatentes, Kardec voltava a hastear a bandeira do último encontro:

> Não temais: o penhor do sucesso está nessa divisa, que é a de todos os verdadeiros espíritas: "Fora da caridade não há salvação." Hasteai-a bem alto, porque ela é a cabeça de Medusa para os egoístas.

O "missionário em chefe" do espiritismo dedicava cada vez mais tempo a propagar entre seus seguidores uma reforma moral, um levante contra o materialismo. A fase da curiosidade — que marcara a infância do espiritismo — deveria dar lugar aos estudos da doutrina e a ações em favor do próximo, desvinculadas dos fenômenos puros e simples. Os espetáculos iniciais das mesas girantes e cestos escreventes tinham cumprido seu papel: despertar a atenção dos homens para o mundo invisível. Era hora de fechar as cortinas e desligar os holofotes. "Uma luz intensamente brilhante e súbita não ilumina. Ofusca", escreveu.

Kardec sabia. A caridade era um território bem mais seguro e fértil para o crescimento do espiritismo. Os fenômenos estavam sempre sujeitos à fraude e aos ataques dos adversários.

Era preciso afastar o espiritismo de figuras como o casal Edwards e Júlia Girod.

O homem das bonecas falantes

A dupla de "médiuns" americanos fascinara a corte e os plebeus franceses com suas exibições mágicas. Foram três meses de temporada lotada nos principais salões de Paris e em palácios da família imperial.

O prospecto do casal Girod era tentador:

> Divertimentos nos salões parisienses. Novidade! Só novidade! O mundo dos espíritos obedece às suas vozes. Visões. Êxtase. Fascinação. Magnetismo. Espíritos batedores.

Para alegria das crianças, o ventríloquo Homem das Bonecas Falantes também entrava em cena, nas matinês, com preços reduzidos.

Para conquistar novos clientes, a dupla exibia um álbum com mais de duzentas páginas, repletas de cartas de felicitações assinadas por ilustres espectadores de seus feitos. Entre os fãs mais devotados, nada menos do que dezesseis arcebispos e bispos da França.

Muitas autoridades eclesiásticas foram arrebatadas pelo prospecto de divulgação do casal. Logo após listarem os prodígios do mundo dos espíritos, os supostos médiuns revelavam a origem de todas aquelas manifestações: ilusionismo.

Visões? Êxtase? Fascinação? Magnetismo? Espíritos batedores?

> (...) tudo quanto a ciência e o charlatanismo inventaram, que embasbaca os crédulos de nossos dias, até lhes dar uma fé robusta em tudo quanto não passa de charlatanice, em que a gente é comparsa sem saber.

Uma das frases do panfleto não deixava dúvidas quanto à opção religiosa da dupla: "A fé cristã só terá a ganhar ao ver claramente que tudo quanto ela não ensinou não passa de brilhante charlatanismo."

A cada exibição de ilusionistas como estes, suspeitas eram lançadas contra os fenômenos espíritas, mas Kardec não se intimidava.

Tudo poderia ser imitado, ele dizia, mas as cópias não eliminavam a autenticidade dos originais. O mágico finge entrar em estado sonambúlico, mas isto não quer dizer que o sonambulismo seja uma farsa. O pintor faz cópias perfeitas de telas de Rafael — mas ninguém poderá renegar o fato de que Rafael existiu.

Em seus argumentos, Kardec ia ainda mais longe — aos tempos de Cristo:

> O prestidigitador Robert-Houdin transforma a água em vinho e tira de um mero chapéu objetos capazes de lotar uma grande caixa. Essas proezas desmentem os milagres das bodas de Caná e da multiplicação dos pães?

Imitar fenômenos físicos — Kardec afirmava — era fácil para quem tinha o dom da mágica, mas ele lançava um desafio ao senhor e à senhora Girod: imitar os fenômenos inteligentes testemunhados por ele em sessões onde mortos se manifestavam em mensagens pontuadas por informações desconhecidas pelos médiuns.

> (...) e, melhor ainda, em longas dissertações de muitas páginas, escritas de um jato, sem vacilações, com rapidez, eloquência, correção, profundidade, sabedoria e sublimidade de ideias, sobre assuntos propostos naquele instante, fora do conhecimento e da capacidade do médium.

O casal foi embora de Paris antes de aceitar o desafio, e Kardec continuou a receber notícias do além vindas de todos os cantos.

O INCANSÁVEL JOBARD

Um dos frequentadores mais assíduos das sessões promovidas na sede da Sociedade Espírita era Jobard, o diretor do Museu Real da Indústria de Bruxelas. Espírita devotado desde a leitura de *O livro dos espíritos*, ele deixava Kardec tenso pela insistência em acelerar a divulgação da doutrina espírita.

De vez em quando, pedia a palavra para criticar os "passos de tartaruga" do movimento e defender a abertura da Sociedade a novos sócios. Kardec, no entanto, tentava seguir os conselhos de Zéfiro enquanto era submetido às pressões de Jobard e outros companheiros inflamados:

> — Não te deixas arrastar pelos entusiastas, nem pelos muito apressados. Mede todos os teus passos, a fim de chegares ao fim com segurança.

Em fevereiro de 1862, Jobard voltou à Sociedade e tomou seu lugar à mesa para descrever a todos o que nenhum dos médiuns via. Erasto estava presente, o Espírito da Verdade plainava no ar e "amigos invisíveis" dividiam as cadeiras já ocupadas pelos vivos — juntos no mesmo espaço, mas sem se misturar, cada um com seu corpo, fluido e carne.

Quem o ouvisse falar não reconheceria o velho estudioso do psiquismo oriental, autor de livros polêmicos sobre temas como "a utilidade dos tolos na ordem social".

Antes de ler as obras de Kardec, Jobard defendia um sistema para explicar os poderes mediúnicos: "alma coletiva". As almas de todos nós estariam interligadas num "todo coletivo". O médium teria o poder de captar aptidões, inteligências e conhecimentos das almas vizinhas, ausentes ou presentes nas sessões. Almas de vivos, e não de mortos.

Naquela sessão de 1862, ele não demonstrava qualquer dúvida quanto à presença e influência de espíritos, e falava com absoluta autoridade. Tinha morrido em Bruxelas, de um ataque de apoplexia, em 27 de outubro de 1861, aos 69 anos.

Era pelas mãos da sra. Costel que Jobard proclamava a vida nova aos "irmãos no exílio":

> — Meus caros amigos, que embriaguez desvencilhar-se do peso do corpo. Que ebriez abarcar o espaço!

Mas que ninguém se enganasse: ele não estava mais tranquilo e paciente do outro lado, e voltou a exigir ímpeto na divulgação do espiritismo:

> — Não se deve temer lhe dar um vigoroso impulso, que a fará transpor os obstáculos com uma força que nada poderá dominar.

Mas tanta pressa não prejudicaria a doutrina? — perguntou um dos participantes da sessão.

A resposta, escrita a jato no papel, foi por todos como uma confirmação da identidade do visitante impetuoso:

> — Derrubarieis os seus adversários. Vossa lentidão lhes deixa ganhar terreno. Não gosto do passo lerdo e pesado da tartaruga: prefiro o voo audacioso do rei dos ares.

Kardec dividiu a mensagem com os leitores na edição de março da *Revista Espírita*, mas tomou o cuidado de reafirmar, por escrito, em nota de rodapé, o que cansara de repetir a Jobard até sua morte, e, agora, depois dela:

Observação: isto é um erro. Os partidários do espiritismo ganham terreno diariamente, enquanto os adversários o perdem. O sr. Jobard é sempre entusiasta: não compreende que, com prudência, se chega ao fim com mais segurança, enquanto se atirando aos obstáculos de cabeça baixa a gente se arrisca a comprometer a causa.

De todos os cantos, chegavam notícias de novas adesões ao movimento. Na Argélia, o dono de uma livraria levou um susto ao ouvir um oficial do exército, absolutamente cético, pedir um exemplar de *O livro dos espíritos*, sem fazer qualquer comentário sarcástico:

Ele era um dos mais duros incrédulos: antes de Proudhon, dizia: "Deus é o mal." Por outras palavras: não admitia nenhum deus. Só reconhecia o nada.

Da pequena cidade francesa de Chauny, outras boas-novas. As revelações de *O livro dos espíritos* e de *O livro dos médiuns*, que circulavam por lá há pouco mais de seis meses, conquistavam mais e mais adeptos entre os operários. Em reunião na Sociedade, Kardec festejaria:

— Não é prodigioso ver simples trabalhadores reservarem suas economias para comprar livros de moral e de filosofia em vez de romances e bugigangas? Homens preferindo esta leitura às alegrias ruidosas e embrutecedoras dos cabarés?

Mas nem tudo era tão festivo assim. Em Bordeaux, uma senhora idosa e muito doente — e cada vez mais atraída pelo espiritismo — recebera a seguinte carta, assinada pelo pároco da família:

Lamento que ontem não tivesse podido alertá-la em particular sobre certas práticas religiosas contrárias ao ensino da santa Igreja. Falou-se muito disto em vossa família e mesmo em outro círculo social. Eu me sentiria feliz, senhora, de saber que só tendes desprezo por estas superstições diabólicas e que estais sempre sinceramente ligada aos dogmas imutáveis da religião católica.

A filha da velha senhora, Émilie Collignon, recém-convertida ao espiritismo, incumbiu-se de dar a resposta ao vigário, também por escrito:

> Caro senhor, em minha casa não se faz nenhuma prática religiosa que possa inquietar os mais fervorosos católicos, a menos que o respeito e a fé pelos mortos, a fé na imortalidade da alma, uma confiança ilimitada no amor e na bondade de Deus (...) sejam práticas reprováveis pela santa Igreja Católica.

Aos críticos de "outros círculos", não familiares, um recado:

> Jamais poderão dizer que algum de nós tenha feito coisas das quais tenha que corar ou esconder-se; e eu nem coro nem me oculto ao admitir a importância das manifestações espíritas para mim.

O padre que procurasse outros fiéis para intimidar, porque a conversão de Émilie não teria volta:

> Quanto a mim, pessoalmente, encontrei muita força e consolo na certeza palpável de que aqueles que nós amamos, e pelos quais choramos, estão sempre perto de nós.

ADEUS E BEM-VINDO

Em março de 1862, Kardec foi incumbido de fazer um discurso em homenagem a um dos companheiros da Sociedade Espírita de Paris: o sr. Sanson. O cenário era o cemitério do Père-Lachaise, batizado assim em homenagem ao padre Lachaise, confessor do rei Luís XIV da França. Entre os mausoléus arborizados, Kardec se despediu do amigo e, diante do túmulo ainda aberto, reafirmou a fé na doutrina que dera tanta esperança a Sanson durante longa e sofrida doença:

> — Desde muito tempo ele previa o seu fim; mas, longe de se apavorar, o esperava como a hora da libertação.

Vida e morte se entrelaçavam em seu discurso.

> — Quem, em presença desse túmulo aberto, não sente um calafrio percorrer as veias, ao pensar que amanhã, talvez, o mesmo lhe acontecerá e que, depois de umas pás de terra, lançadas sobre o seu corpo, tudo estará terminado para sempre, que não pensará, não sentirá, não amará?

Este era o ponto de vista — "pungente e glacial", segundo Kardec — de quem encarava a morte como o fim. Para os materialistas, Sanson era agora mero cadáver, desprovido de inteligência e emoção, totalmente aniquilado. Para os espíritas, a história era bem diferente:

— Alma do sr. Sanson, que acabais de entrar no mundo dos espíritos, aqui estais entre nós; vedes e nos escutais, pois entre nós apenas se acha o corpo perecível, que acabais de deixar e que em breve será pó.

E foi ao morto que Kardec dirigiu as últimas palavras, enquanto o corpo descia à sepultura:

— Esse corpo, instrumento de tantas dores, ainda está aí, ao vosso lado. Vós o vedes como o prisioneiro vê as cadeias de que acaba de se libertar. Deixastes o grosseiro invólucro sujeito às vicissitudes e à morte e apenas guardastes o invólucro etéreo, imperecível e inatingível pelos sofrimentos.

O discurso de despedida terminaria em clima de boas-vindas:

— Até a vista, caro sr. Sanson. Que possais gozar no mundo onde vos encontrais agora a felicidade que mereceis e que venhas estender-nos a mão quando nos chegar a vez de nele entrar.

Poucas semanas depois, Sanson já estava de volta à Sociedade Espírita, não para levar alguém embora, mas para trazer notícias do mundo de lá, pelas mãos do médium Leymarie:

— Meus amigos, estou junto a vós.

Era o início de uma sabatina, ou melhor, de uma "autópsia intelectual", como definiria Kardec.

Atormentado pela perda da visão no fim da vida, Sanson nunca enxergara tão bem quanto agora:

— O instante da morte dá clarividência ao espírito. Os olhos não veem mais; mas o espírito, que possui uma visão muito profunda, descobre instantaneamente esse mundo desconhecido, e a verdade lhe aparece de súbito.

Uma verdade que poderia gerar alegria profunda ou dor insuportável ao "morto", de acordo com seu estado de consciência ou com as lembranças da vida interrompida.

Na longa conversa com os companheiros de doutrina, Sanson daria notícias preocupantes aos que ainda teimavam em não crer. Para eles, o instante da morte seria bem mais penoso do que para os espíritas:

— Aquele que não crê é semelhante a um condenado à pena máxima e cujo pensamento vê o cutelo e o desconhecido.

O testemunho do além ecoava o discurso de outras mensagens transmitidas na Sociedade Espírita sobre o destino reservado aos incrédulos no momento da "passagem":

— Nos últimos instantes, o incrédulo endurecido experimenta as angústias dos pesadelos terríveis, nos quais se vê às bordas de precipícios, prestes a cair no abismo... Quer chamar alguém e não pode articular o menor som, quer agarrar-se em qualquer coisa, achar um ponto de apoio e se sente escorregando...

Na dúvida, melhor crer. E muitos no mundo todo já criam, a julgar pelo relatório divulgado por Kardec na sessão de abertura do quinto ano de atividades da Sociedade Parisiense de Estudos Espíritas, em abril de 1863.

O número de associações aumentava a cada dia, e em todo o canto. Argélia, Itália, Áustria e México já sediavam associações dedicadas à ciência espírita e à bandeira hasteada por Kardec: caridade.

Oitenta e sete membros fixos pagavam as cotas anuais da Sociedade em Paris, além de sócios honorários residentes no exterior. Este número poderia ser bem maior se o presidente da instituição reduzisse o rigor na seleção dos associados — atitude que se recusava a tomar, embora as pressões continuassem. Nas conversas com os companheiros e em artigos publicados na *Revista Espírita*, Kardec não se cansava de repetir:

> Teria sido fácil dobrar, e mesmo triplicar esse número (de sócios), se vissemos receita. (...) Mas a relevância da sociedade nada tem a ver com o número de sócios, mas com as ideias que estuda, elabora e divulga.

Estas ideias, segundo a avaliação do mestre, nunca tinham sido tão consistentes:

> Já não são, como outrora, pequenos fragmentos de moral banal, mas dissertações, nas quais as mais altas questões de filosofia são tratadas com amplidão e profundidade.

Pelas mãos de médiuns cada vez mais produtivos — e mais instruídos —, vinham mensagens assinadas por personalidades como Voltaire e Santo Agostinho sobre temas como fé, caridade e perdão.

Galileu também se manifestara, para divulgar seus *Estudos uranográficos*, através de um médium ainda em formação: o jovem astrônomo Camille Flammarion, futuro fundador da Sociedade de Astronomia da França. Os primeiros esboços dele como intermediário do além, no entanto, eram nada reveladores:

> — Uma paisagem de horizonte sem fim, tufos de árvores sob as quais sentimos a vida subir na seiva, um prado esmaltado de flores perfumosas e coroado pelo sol: a isto se chama natureza.

Muito mais impressionante era sua obra de estreia, publicada em 1862, quando Flammarion, 20 anos recém-completados, ainda estudava no Observatório de Paris: *A pluralidade dos mundos habitados*.

Um best-seller que, em muitos pontos, avalizava as revelações sobre a vida em outros planetas divulgadas por Kardec e já proclamadas em outras obras e seitas desde a Antiguidade.

Num dos trechos, Flammarion citava as descrições do "bom padre" Atanásio Kircher em *Viagem extática celeste*, publicado no século XVII. Ao sair de seu corpo, ele chegara a Saturno e ficara espantado com os habitantes locais: velhos melancólicos em roupas lúgubres, com tochas fúnebres à mão. Muito mais vibrantes eram os moradores de Vênus, com suas vestes de cristal tilintando ao som de liras e címbalos.

Flammarion defendia, sim, a pluralidade dos mundos e se aproximava cada vez mais de Kardec. Caberia a ele, aliás, 38 anos mais jovem, o discurso de despedida ao mestre na cerimônia de seu enterro. Entre os túmulos do cemitério, o astrônomo definiria o homenageado como "o bom senso encarnado", uma definição repetida por todos os seus admiradores desde então.

Mas esse dia demoraria a chegar e Kardec ainda trabalharia duro para estar à altura dos que o viam como um pesquisador incansável, sempre pronto a duvidar das "verdades" atribuídas ao além.

Era preciso, repetia, lutar para discernir o verdadeiro do falso e o racional do ilógico no emaranhado de mensagens psicografadas: "Os espíritos estão longe de possuir a soberana ciência e podem se enganar."

Os médiuns também. E quanto mais escreviam e mais se multiplicavam, mais trabalho davam ao mestre. Muitos reagiam mal às críticas do autor de *O livro dos espíritos*. Kardec não se conformava e desabafava em conversas com Amélie e com os companheiros mais sensatos:

> Como discutir comunicações com médiuns que não suportam a menor controvérsia, que se melindram com uma observação crítica e acham mau que não se aplaudam as mensagens que recebem, mesmo aquelas inçadas de grosseiras heresias científicas?

Kardec criticava e era alvo também de críticas, cobranças, suspeitas e acusações.

Os milhões de Allan Kardec

A uma das acusações Kardec fez questão de responder em artigo publicado na *Revista Espírita* em maio de 1863. Um padre espalhara entre os fiéis a notícia de que o "inventor do espiritismo" estava milionário graças a doações vindas da Inglaterra, contribuições de sócios, assinaturas de revistas e vendas de livros. O clérigo teria conhecido Rivail, ainda pobre, nas ruas de Lyon, e ficara impressionado ao vê-lo desfilar pelas avenidas de Paris a bordo de uma carruagem imponente puxada por quatro cavalos puro-sangue.

Em sua resposta ao padre — que tratou de proteger sob o anonimato —, Kardec fez duas correções: nascido em Lyon, em 3 de outubro de 1804, nunca chegara a morar na cidade, e a tal carruagem imponente não passava de um fiacre tocado por burros de carga, alugado cinco ou seis vezes por ano, por economia:

> Que diria o sr. Vigário se visse meus mais suntuosos banquetes, nos quais recebo os amigos? Achá-los-ia muito magros, ao lado das magras refeições de certos dignitários da Igreja.

O espiritismo — escreveu Kardec — nunca seria um meio de enriquecer, mesmo porque pregava que todos vivessem apenas com o necessário, livres da ganância e da ambição. Outra lição espírita era a de ser fiel a uma das máximas de Cristo: "Não faças a outrem o que não queres que te façam." Máxima que — Kardec ressaltava — o padre teria traído ao caluniar o próximo.

Na longa resposta ao vigário, Kardec aproveitou para mandar recados, por tabela, a adversários e falsos aliados que se incomodavam com seu sucesso.

Lucros com vendas de livros? Ninguém tinha nada a ver com isso — "qualquer trabalhador tem o direito de vender o produto de seu trabalho" —, mas, para saciar a curiosidade dos detratores, Kardec revelou a renda obtida com a primeira tiragem do livro de estreia:

> (...) feitas as devidas contas, esgotada a edição, vendidos uns exemplares, dados outros, rendeu-me cerca de quinhentos francos, como posso provar documentalmente. Não sei que tipo de carruagem poderia ser comprada com isso.

Outro número — também revelado sob a pressão de cobranças e suspeitas — poderia financiar, sim, uma carruagem zero quilômetro: 10 mil francos. Foi este o total recebido por Kardec de um admirador da doutrina. Doação que transferiu a um fundo que batizara de Caixa do Espiritismo, sob supervisão da Sociedade.

Em detalhada prestação de contas apresentada aos companheiros da Sociedade Espírita, Kardec declarou como seria aplicada a pequena fortuna que muitos julgavam inesgotável. Nenhuma doação aos pobres e nenhum gasto com despesas pessoais. Todo o dinheiro seria reservado ao pagamento de seis anos de aluguel da sede da Sociedade, um amplo apartamento localizado num dos bairros mais valorizados de Paris.

Por que alugar um imóvel tão caro? — questionavam alguns associados. Aliás, seria mesmo necessário um imóvel exclusivo para reuniões espíritas? Kardec teve de responder por escrito em carta distribuída aos associados:

Esse apartamento reúne as vantagens desejáveis por suas disposições internas e sua situação central. Nada tendo de suntuoso, é muito adequado.

Seria inviável para ele e Amélie manter a própria casa aberta às visitas que não paravam de chegar, da França e do exterior. Uma média de 1.200 a 1.500 pessoas por ano, que agora encontravam abrigo na sede da Sociedade.

Com cuidados de contador, Kardec justificou, franco por franco, o uso da doação. O custo anual do aluguel do apartamento era de 2.530 francos. A Sociedade pagava 1.200 deste total. Restava, portanto, uma diferença de 1.528 por ano. Ao longo de seis anos, seriam gastos 9.168 francos no total — uma despesa que aumentaria em 900 francos com a compra de móveis e ultrapassaria facilmente os 10 mil com imprevistos e investimentos extras.

Os gastos com viagens subiriam muito em 1862. Para divulgar a doutrina e checar os resultados alcançados, na prática, pelo espiritismo, Kardec iniciara os preparativos para uma longa viagem: 1.158 quilômetros de trem e carruagem por vinte cidades da França, ao longo de seis semanas de chuva, frio e neve, do outono ao inverno. Kardec pagaria com dinheiro do próprio bolso todas as despesas deste tour.

Já não faltava dinheiro: *O livro dos espíritos* estava na nona edição e *O livro dos médiuns* chegara à quarta reimpressão dois anos depois de lançado. E ninguém tinha nada a ver com isso.

Na estrada

Antes de arrumar as malas, Kardec organizou as ideias e preparou discursos a serem lidos nas recepções e banquetes promovidos por seus anfitriões. Em Bordeaux e Lyon, os correligionários já se organizavam para reencontrar o mestre e ouvir suas novas orientações.

Desde o auto de fé de Barcelona, o espiritismo avançara — e muito — nessas cidades e nos arredores também. Dois anos antes, na primeira visita de Kardec a Lyon, o número de espíritas declarados na cidade não chegava a mil. No ano seguinte, 1861, já eram quase 5 mil os adeptos da doutrina. Um número que ultrapassava os 25 mil espíritas agora, de acordo com estimativas de Kardec. Em Bordeaux, os mil espíritas do ano anterior já tinham se multiplicado por dez.

Na luta contra o materialismo, Kardec precisava conduzir este exército com cautela — e foi assim, com os devidos cuidados, que preparou suas palestras, parágrafo a parágrafo, lição a lição.

Para começar, um balanço histórico e uma avaliação dos novos tempos do espiritismo:

> A fase da curiosidade passou e já vivemos agora um segundo período, o da filosofia. A terceira etapa, que começará em breve, será a de sua aplicação à reforma da humanidade.

Os médiuns de efeitos físicos — constatou — davam lugar a um número cada vez maior de médiuns de comunicações inteligentes. Mas a falta de fenômenos não afugentava os novos adeptos. Pelo contrário: "Aumenta o número dos que nada viram e que nem por isso são menos entusiastas, porque leram e compreenderam."

Neste território fértil, era importante estar sempre atento aos adversários. E a melhor arma contra eles, muitas vezes, seria o silêncio:

> Quando um exército verifica que as balas do inimigo não o atingem, ele o deixa atirar ao seu bel-prazer e desperdiçar suas munições, certo de obter vantagens depois.

Amélie foi a primeira a ouvir os discursos do marido e os aprovou, palavra por palavra. Ela estaria ao lado de Kardec, silenciosa e solidária, ao longo de toda a viagem.

A cada evento, Kardec discursaria como um comandante diante das tropas. Os textos burilados em seu gabinete saíam de sua boca em tom pausado, pontuado por gestos comedidos:

> — O melhor general não é aquele que se atira, de peito aberto, na confusão da batalha, mas o que sabe esperar e estudar as aproximações.

A já longa convivência com médiuns e adeptos de diferentes perfis permitia a Kardec classificar os espíritas em três categorias básicas, listadas em seus discursos:

> — Os que creem pura e simplesmente nos fenômenos, mas que deles não deduzem qualquer consequência moral. Os que percebem o alcance moral, mas o aplicam aos outros e não a eles mesmos. Os que aceitam pessoalmente todas as consequências da doutrina e que se esforçam por praticar sua moral.

Em muitos encontros, era grande a quantidade de médiuns ou de interessados em atuar como instrumentos de comunicação com o além. E era a eles que Kardec endereçava os recados mais diretos, e mais duros. Deveriam se cuidar para que não se tornassem inimigos internos da própria doutrina.

Alguns poderiam errar por interesse material — e todos precisariam assumir o compromisso de renegar quaisquer médiuns que cobrassem por seus serviços. Outros poderiam se equivocar por pura vaidade, ávidos não por dinheiro, mas por projeção. Outros ainda poderiam ser traídos pelo orgulho. E Kardec já estava cansado deles: dos médiuns que atribuíam todas as mensagens que recebiam a espíritos superiores, sem questionar e sem aceitar críticas contrárias.

Críticas que o mestre costumava fazer e que já tinham provocado uma série de dissidências. Sem dar nomes, Kardec contou, em seu périplo pela França, uma história recente de orgulho ferido. Inconformado porque não fora convocado a psicografar em determinada reunião, um médium se retirou da sessão e protestou contra o tratamento "imperdoável".

Kardec ainda estava indignado com o episódio:

> — Imperdoável! Concebei esta palavra nos lábios de pessoas que se dizem espíritas? Eis aqui uma palavra que deveria ser riscada do vocábulo espírita!

O mesmo médium exigia atenção constante e a admiração de todos, como se fosse alguém especial, escolhido por Deus para a missão de dar voz aos espíritos. A tensão sempre aumentava diante dele, porque qualquer palavra poderia ferir sua vaidade. Como lidar então com intermediários desse tipo? Kardec deu a receita em seu discurso:

> — Eu os convido a tomar minha atitude, isto é, a de não dar importância a médiuns que antes constituem um entrave do que um recurso.

Com um número cada vez maior de médiuns em formação, já não era mais preciso ficar à mercê da vaidade alheia.

O general precisava desabafar e abriu mão da discrição habitual para falar de si mesmo em salões sempre lotados, ao longo de sua viagem. Dias antes, ouvira uma crítica que o incomodou: a de não lutar para trazer de volta pessoas que se afastavam dele.

Sim, Kardec, reconheceu em público:

> — Jamais dei um único passo nesse sentido e aqui estão os motivos de minha indiferença.

Uma lista implacável, especialmente para alguém que rejeitava o uso do adjetivo "imperdoável": os que se aproximavam dele o faziam por conveniência, atraídos pelos princípios da doutrina, e não por sua companhia; os que se afastavam dele também o faziam por conveniência, pela descoberta da falta de afinidades em determinadas questões.

> — Por que então eu iria contrariá-los, impondo-me a eles? Parece-me mais conveniente deixá-los em paz.

A paz aparente do discurso logo seria desmantelada pelas frases seguintes:

> — Ademais, honestamente, falta-me tempo para isso. Minhas obrigações não me deixam um instante para o repouso.

E que nenhum dos dissidentes se enganasse quanto à própria importância na vida de Kardec:

> — Para um que parte, há mil que chegam. Julgo um dever dedicar-me, acima de tudo, a estes, e é isso que faço.

Orgulho? Desprezo pelo próximo? Kardec lançou as perguntas — e deu a resposta:

— Não, honestamente não. Não desprezo ninguém. Lamento os que agem mal e isso é tudo.

Kardec parecia engasgado e decidiu também responder às cobranças de que deveria bater às portas da alta sociedade em busca de novos adeptos e apoios, inclusive financeiros:

— Isso exigiria um tempo que prefiro empregar mais utilmente.

Tempo era palavra-chave em seus discursos. Um tempo cada vez mais escasso para tantos compromissos, tantas cartas a responder, tantas mensagens do além a checar e tantos interesses e vaidades a administrar. Valia a pena tanto esforço?

Sim, a julgar por outro trecho — bem mais inspirador — do discurso lido em Lyon, desta vez com tom suave:

— Coloco em primeira instância oferecer o consolo aos que sofrem, erguer a coragem aos decaídos, arrancar um homem de suas paixões, do desespero, do suicídio, detê-lo talvez no limiar do crime! Não vale mais isto do que os lambris doirados?

A correspondência que não parava de chegar à sede da Sociedade era um peso, admitia, mas era um prêmio também:

— Guardo milhares de cartas que, para mim, mais valem do que todas as honrarias da Terra e que olho como verdadeiros títulos de nobreza. Assim, pois, não vos espanteis se deixo partir aqueles que viram as costas.

Assunto encerrado para os desertores.

Jumentos e bengalas

Dissidentes se afastavam, e os adversários atacavam. Nas páginas do jornal *Le Moniteur*, da cidade de Moselle, notícias alarmantes:

> O espiritismo faz perigoso progresso. Invade a alta, a média e a baixa sociedade. Magistrados, médicos, gente séria também se atira a esse erro!

Na sede da Sociedade de Ciências Médicas, o alerta do dr. Philibert Burlet, após analisar seis casos de loucura em hospitais de Lyon, em maio de 1863: o espiritismo causaria alienação mental. Pretensos médiuns seriam apenas lunáticos, e espíritos não passariam de alucinações.

Nos púlpitos das igrejas, párocos cada vez mais inflamados.

Um deles, o combativo padre Lapeyre, da Companhia de Jesus em Paris, dedicou um longo sermão a analisar *O livro dos espíritos*. Onde se lia caridade, ele identificava a influência das ideias comunistas. Onde se lia igualdade, ele denunciava ameaças à propriedade privada. Onde se lia livre-arbítrio, ele via a supremacia do homem sobre um Deus sem força nem valor. E onde se liam os nomes dos "autores espirituais" da obra — São Paulo, Santo Agostinho, São Lucas, São Vicente de Paula! —, ele via apenas heresia.

Para Lapeyre, o livro atribuído a espíritos superiores teria sido ditado "pelo hábil e astuto diabo", ávido por ludibriar os ignorantes com a ilusão de que não há inferno nem purgatório, e de que o destino da humanidade estaria, portanto, nas mãos do homem. Um absurdo que só poderia prosperar mesmo naquele século XIX — "da incredulidade e das heresias" —, terreno fértil para a disseminação de perversões como aquela:

— Este século ama tanto a liberdade e vem lhe oferecer o livre exame, o livre-arbítrio, a liberdade de consciência! Este século ama tanto a igualdade... e lhe mostram o homem da altura de Deus! Ama tanto a luz... e de uma penada rasga-se o véu que ocultava os santos mistérios!

Ao padre, só restava ter piedade dos pobres coitados adeptos da nova doutrina:

— Pobres insensatos que vos divertis em falar com os espíritos e pretendeis sobre eles exercer qualquer influência!

E que os fiéis diante dele, na nave da Santa Igreja, se livrassem do mal de folhear *O livro dos espíritos*:

— Eu não ficaria admirado se, entre vocês, não haja alguns que já foram arrastados à sua leitura. A estes só podemos dizer: depressa! Aproximai-vos do tribunal das penitências! Depressa! Vinde abrir os vossos corações aos guias espirituais!

O que fazer, então, com aquelas obras demoníacas?

— Como São Paulo, faremos uma montanha em praça pública e nós mesmos meteremos fogo!

Como nenhum dos fiéis entregou exemplares de seus livros para a fogueira santa, faltou combustível para o segundo auto de fé, mas não para novos ataques eclesiásticos.

Em sermão na igreja primaz de São João Batista, diante do cardeal arcebispo de Lyon, outro padre respeitado pela comunidade, o reverendo Nampon, decretaria, em outubro de 1863:

— Nada é mais abjeto, mais degradante, mais vazio de fundo e de atrativo na forma do que as publicações espíritas, cujo sucesso fabuloso é um dos sintomas mais alarmantes de nossa época.

Na cidade que batia recordes de conversão à nova doutrina, a cruzada católica contra os livros espíritas era cada vez mais virulenta. O discurso de Nampon não deixava dúvidas.

— Destruam estas obras nefastas; nada perdereis. Com o dinheiro gasto em Lyon com essas inépcias, facilmente se teriam construído mais leitos nos hospícios de alienados, superlotados desde a invasão do espiritismo!

Em outra igreja, em Bugarach, um vigário mais bem-humorado, Pierre Vasin, apelou para uma parábola contada aos fiéis como história real. Dilacerada pela perda do companheiro, uma jovem viúva recorrera aos préstimos de um espírita local. O morto se manifestou pelas mãos do médium para dar uma boa e uma má notícia. A boa: ele acabara de reencarnar e estava bem perto da companheira, a um quilômetro de distância. A má: voltara na pele, ou melhor, no couro do jumentinho de um moleiro conhecido do casal. Movida pela saudade, a viúva correu até a casa do fabricante de farinha e fez uma oferta irrecusável pelo animal surrado. Final da história, segundo o padre:

— Há quinze dias, o ex-finado ocupa um cômodo especial na casa da ex-viúva, cercado de cuidados jamais desfrutados por seus semelhantes, desde que a Deus aprouve criar esta amavel raça.

Kardec não achou graça. Quem lesse *O livro dos espíritos* saberia que espíritos de homens não reencarnam em animais. E quem lidasse, como ele lidava, com a dor de quem perde entes queridos levaria mais a sério o sofrimento de viúvas saudosas.

Outra história, que passou a circular pela França, também exigiria respostas de Kardec. Um suposto participante de reunião mediúnica realizada na sede da Sociedade de Paris revelou a amigos o quanto a sessão fora "marcante" para as cerca de trinta testemunhas. As marcas teriam ficado nos corpos de todos os atingidos pelas pancadas dos espíritos naquela noite. Ele não chegou a ver a bengala, mas sentiu o peso do golpe — que ficara ali, estampado em sua espádua, como prova aos incrédulos.

Por que Kardec não relatava fenômenos como estes — menos edificantes — nas páginas de sua *Revista Espírita*?

A resposta, segundo ele, era simples: porque este episódio não passaria de invenção. A quem duvidasse, tinha até um álibi: a tal sessão teria acontecido, de acordo com a suposta vítima, no período de recesso da Sociedade Espírita, entre 15 de agosto e 1º de outubro.

Além disso, se fosse mesmo real, Kardec teria revelado o episódio aos seus leitores sem qualquer constrangimento:

> Seria um fato capital, do qual não se poderia duvidar; pois, como foi dito, haveria trinta testemunhas levando no lombo a prova da existência dos espíritos!

Como justificar, então, a marca das bengaladas no corpo da testemunha? A vítima que se explicasse:

> Ela as recebeu em alhures e, não querendo dizer onde nem como, achou interessante acusar os espíritos, o que era menos comprometedor...

Entre sermões furibundos, jumentos saudosos e bengaladas invisíveis, Kardec ia em frente, e voltava a fazer contas para reagir aos ataques gerados pela devoção dos detratores a uma entidade definida por ele como o "Deus de nossa época": o dinheiro.

Fortunas e fantasmas

"O orçamento espírita ou exploração da credulidade humana." Com este título, o sr. Ablage Plaisir, oficial reformado e ex-representante do povo na Assembleia Constituinte de 1848, mandou imprimir mais um panfleto contra o movimento liderado por Allan Kardec.

Era preciso abrir os olhos das vítimas inocentes da "epidemia espírita". Uma praga que, segundo ele, estava prestes a alcançar metade de toda a população francesa. Sim, 20 milhões de conterrâneos estariam expostos às fantasmagorias da nova doutrina, e boa parte deste total — cerca de 5 milhões de adeptos, segundo o denunciante — faria doações fixas à nova religião, como contribuintes de sociedades espíritas ou como assinantes da *Revista Espírita*.

Resultado, de acordo com os cálculos do sr. Plaisir: um faturamento de cerca de 100 milhões de francos anuais para os presidentes e vice-presidentes das instituições, e renda média anual de 38 milhões para o sr. Allan Kardec, "proprietário da *Revista* e soberano pontífice", sem considerar os lucros obtidos com as vendas de livros:

> Ah, os ingênuos espíritas! Que pensais dessa especulação baseada em vossa simplicidade? Jamais poderíeis crer que, do jogo das mesas girantes, tivessem podido sair semelhantes tesouros... Não há razão para dizer que a tolice humana é uma mina inesgotável?

Mais uma vez o "contador" Allan Kardec precisou entrar em cena para corrigir os cálculos alheios. Primeira informação: a Sociedade Espírita nunca teve mais de cem sócios — apesar de todas as pressões pelo aumento deste número — e jamais recebeu qualquer contribuição das outras sociedades espíritas vinculadas a ela.

O orçamento de 1862 só fora fechado com um reforço de caixa de 429 francos — necessários ao pagamento de despesas extras. Além disto, todo gasto, por menor que fosse, só poderia ser feito com o visto do comitê. Outro ponto: o número de assinantes da *Revista Espírita* — calculado em 30 mil pelo autor do panfleto — não chegava, infelizmente, a 15% deste total.

Em artigo publicado na *Revista Espírita* em junho de 1863, Kardec ironizou — "Caluniai, caluniai! Sempre ficará alguma coisa" — antes de concluir: "Restará sempre algo que, mais cedo ou mais tarde, cairá sobre o caluniador."

Outros ataques ao espiritismo eram desferidos nos palcos dos teatros, onde ilusionistas como o casal Girod entretinham a plateia com aparições de fantasmas, mesas girantes e outros fenômenos "sobrenaturais".

O jornal *Indépendance Belge*, de Bruxelas, costumava dar destaque máximo a apresentações como essas. Em junho de 1863, complementou o anúncio dos shows do ilusionista Robin com uma provocação: "Eis a religião do sr. Allan Kardec metida a pique. Como vai o espiritismo sair-se desta?"

No palco do Teatro do Châtelet, antes de reproduzir pancadas e levitações típicas da fase inaugural da doutrina, Robin anunciava:

> — Senhoras e senhores, respeitável público. Estou aqui para combater a estranha crença de certas pessoas na existência de espíritos.

Kardec se recusava a assistir a quaisquer desses espetáculos e repetia os velhos argumentos para defender a autenticidade dos fenômenos do além diante das convincentes imitações: "Os falsos diamantes nada tiram do valor dos brilhantes reais. As flores artificiais não impedem que haja flores naturais."

A cada ataque, ele agradecia aos adversários pelo destaque dado ao espiritismo.

Na categoria dos divulgadores mais dedicados estavam os párocos das pequenas cidades. Um deles, em Bordeaux, dedicara quatros sermões apocalípticos à calamidade espírita. Em breve — anunciou aos fiéis apavorados —, três quartos da população de todo o globo seriam formados por médiuns.

E o que seriam os médiuns? Possessos do demônio, falsos profetas liderados pelo anticristo, dispostos a milagres e prodígios admiráveis para conquistar mais e mais adeptos. Nem tudo estava perdido, entretanto. Quando estivessem próximos de dominar o mundo, Ele nos salvaria — vaticinava então o padre, para alívio da audiência:

> — Jesus descerá à Terra sobre uma nuvem celeste e, de um sopro, os precipitará nas chamas eternas.

A repercussão gerada por ataques como estes confirmava, em 1863, uma previsão de dois anos atrás, mantida em sigilo por Kardec. Numa de suas consultas ao Espírito da Verdade, perguntou sobre como o espiritismo poderia avançar pelo interior do país. A resposta do além o pegou de surpresa:

> — Pelos padres.
> — Voluntária ou involuntariamente?
> — A princípio, involuntariamente. Mais tarde, voluntariamente...

Kardec recebia cartas com relatos de sermões furibundos toda semana e, sempre que podia — e tinha tempo e bom humor —, agradecia aos detratores por este esforço involuntário de promoção do espiritismo.

Numa de suas palestras, lançou uma série de perguntas aos companheiros de guerra:

— Que fazemos para triunfar? Vamos pregar o espiritismo nas praças? Convocamos o público para as nossas reuniões? Temos nossos missionários de propaganda? Temos o apoio da imprensa? Temos, enfim, todos os meios de ação ostensivos dos nossos adversários? Não. Para recrutar partidários, contentamo-nos em dizer: "Lede os prós e os contras e comparai. Se isto vos convém, vinde a nós."

E eles vinham... Não a metade da França, não três quartos da humanidade, mas vinham.

E era preciso tomar cuidado com muitos deles.

Quantas moscas no coche

Uma mensagem assinada pelo apóstolo Erasto, discípulo de São Paulo, colocada no papel pelo médium D'Ambel naquele ano, alertava para os riscos de uma iminente "guerra surda" no território espírita. Ninguém seria martirizado como nos tempos da Inquisição, mas as torturas físicas seriam substituídas por suplícios morais:

> — Levantarão embustes, armarão ciladas, tanto mais perigosas quanto usarão mãos amigas; agirão na sombra e recebereis golpes, sem saber por quem são desferidos, e sereis atingidos em pleno peito por flechas envenenadas da calúnia.

Movidos pelo orgulho e pela vaidade, vaticinava a mensagem, adeptos da doutrina declarariam independência do movimento liderado por Kardec e tentariam seguir caminhos próprios à frente de grupos dissidentes. Pior: guiados pela ganância, alguns deles, os mais ambiciosos, representariam "indignas comédias", bem-remuneradas por adversários, para desmoralizar o espiritismo.

Para combater todos estes riscos, só restava um caminho: a união.

— Uni-vos para que o inimigo encontre vossas fileiras compactas e cerradas.

A mensagem de Erasto parecia ecoar as preocupações — e interesses — do próprio Kardec:

— A hora é grave e solene. Para trás, então, todas as mesquinhas discussões, todas as perguntas ociosas e todas as vãs pretensões de proeminência e amor-próprio. Ocupai-vos dos grandes interesses.

Só depois de tornar público este recado direto, Kardec decidiu tirar da gaveta outro aviso, assinado pelo mesmo Erasto em sessão particular. Neste texto, o alvo das críticas era bastante evidente: os médiuns orgulhosos, cada vez mais numerosos e mais ávidos por projeção.

— De todos os lados surgem médiuns com supostas missões, chamados, ao que dizem, a tomar em mãos a bandeira do espiritismo e plantá-la sobre as ruínas do velho mundo, como se nós viéssemos destruir — nós que viemos para construir. Ah, meus amigos, quantas moscas no coche!

Estes médiuns, alertava a mensagem, eram presas fáceis de espíritos perversos, interessados apenas em se divertir ou, pior, em desmoralizar o espiritismo. A um dos intermediários do além, uma dessas entidades teria prometido revelar o segredo da transmutação dos metais e da incubação de diamantes; a outro, passara a fazer profecias, pontuadas por detalhes incríveis, todas desmentidas pelo futuro; a um terceiro, o espírito teria anunciado a revelação de descobertas capazes de levá-lo à fama e à fortuna. Tudo reduzido a nada e, o pior, ao ridículo.

Pelas mãos do médium D'Ambel, as declarações atribuídas a Erasto atingiam sem piedade toda a categoria de escreventes do além:

— Espíritas, que vos importam os médiuns se, afinal de contas, não passam de instrumentos? O que deveis considerar é o valor dos ensinamentos dados; é a pureza da moral ensinada, é a clareza das verdades reveladas.

Médiuns? Cuidado com eles!

— Desagradável ver que alguns se julgam os únicos chamados a distribuir a verdade ao mundo e se extasiam ante banalidades que consideram monumentos. Pobres abusados, que rebaixam para passar pelos arcos de triunfo!

Médiuns vaidosos? Livrem-se deles!

— Ah! Se todos os médiuns tivessem fé, eu seria o primeiro a inclinar-me perante eles; mas eles não têm, na maior parte do tempo, senão fé neles mesmos, tão grande é o orgulho na Terra. (...) Muitos serão chamados; poucos, os escolhidos.

Entre os adversários — espíritas concorrentes?, médiuns orgulhosos? —, avisos como estes repercutiam pouco, ou mal.

Quem garantia, afinal, que aquele fosse mesmo Erasto? Por que deveriam acatar as orientações assinadas pelo médium D'Ambel? Deveriam ficar unidos, sim, mas em torno de Kardec? Por que, se a doutrina era obra dos espíritos superiores e não uma criação sua?

Há um ano, em Bordeaux, o advogado Roustaing — que, dois anos antes, em 1861, escrevera carta pública de apoio a Kardec — dedicava-se a conduzir longos diálogos paralelos com o além, intermediados pela médium belga Émilie Collignon. Seus interlocutores eram tão célebres quanto muitos colaboradores de *O livro dos espíritos* e *O livro dos médiuns*: os quatro evangelistas, acompanhados de perto pelos próprios apóstolos e por Moisés.

Kardec ainda não sabia, mas o livro gerado por estes diálogos — intitulado *Os quatro evangelhos* — circularia com o seguinte subtítulo estampado na capa: "Espiritismo cristão ou revelação da revelação."

Erasto alertara, mas Marcos, João, Mateus e Lucas falaram mais alto.

Amém

O ano de 1864 começou, aliás, com uma mensagem assinada por João, o evangelista, na Sociedade Espírita de Paris. Coube à médium Costel psicografá-la. Na saudação endereçada aos operários, o companheiro de Jesus conclamava os trabalhadores a aderirem à doutrina divulgada por Kardec:

> — Sede espíritas: tornar-vo-eis fortes e pacientes, porque aprendereis que as provas são uma dádiva assegurada do progresso.

A julgar pelo tema da nova obra do autor de *O livro dos espíritos*, os evangelistas estavam sobrecarregados naquele período. Enquanto auxiliavam Roustaing na redação dos quatro evangelhos, faziam serão na casa de Kardec, às voltas com os retoques finais de *Imitação do evangelho segundo o espiritismo*, livro rebatizado, três anos depois, como *O evangelho segundo o espiritismo*.

Na introdução, uma explicação capaz de provocar arrepios em padres, bispos e vigários em geral: ditada por diferentes espíritos através de diversos médiuns dos mais variados países, de acordo com o método de "controle universal do ensino dos espíritos", a obra pretendia esclarecer passagens nebulosas dos textos sagrados. Ou em outras palavras, ainda mais afiadas:

> Muitos pontos dos evangelhos, da Bíblia e dos autores sacros em geral são ininteligíveis, parecendo alguns até irracionais, por falta da chave que faculte se lhes apreenda o verdadeiro sentido.

A chave agora estava disponível: o espiritismo.

Caberia à nova doutrina traduzir a essência moral dos evangelhos e traçar, assim, o "roteiro infalível para a felicidade vindoura", com o máximo de objetividade, em linguagem livre de figuras alegóricas e parábolas místicas.

O principal objetivo do livro, segundo Kardec, era ambicioso: oferecer ao leitor um "código de moral universal, sem distinção de culto". Chegara a hora de todos compreenderem, por completo, as principais lições de Cristo, reveladas pela nova ciência: o espiritismo.

Pela primeira vez, Kardec classificava, por escrito, a "doutrina dos espíritos" como a terceira revelação da lei de Deus, depois do antigo e do novo testamentos. E a fonte de todas as informações que revelava não era um homem, sujeito a falhas e aos próprios dogmas e interesses. Não. A fonte era outra:

> O espiritismo é fruto do ensino dado, não por um homem, mas sim pelos espíritos, que são as vozes do céu, em todos os pontos da Terra, com o concurso de uma multidão inumerável de intermediários. É, de certa maneira, um ser coletivo, formado pelo conjunto dos seres do mundo espiritual, cada um dos quais traz o tributo de suas luzes aos homens (...).

Blasfêmia!

Uma depois da outra.

Título do segundo capítulo: "Meu reino não é deste mundo" — palavras de Jesus, identificadas por Kardec como prova da vida futura, em outros planos. Título do terceiro capítulo: "Há muitas moradas na casa de meu Pai" — palavras de Cristo, que, segundo Kardec, comprovariam a coexistência de mundos paralelos e habitados no espaço infinito. Título do quarto capítulo: "Ninguém poderá ver o reino de Deus se não nascer de novo" — demonstração, para Kardec, de o quanto a reencarnação já era um dogma para os judeus, sob o nome de ressurreição.

Frases assinadas por Santo Agostinho, São Luís, Lázaro, Fénelon, pelo bispo de Argel e pelo cardeal Morlot — depois de mortos — pontuavam a obra em meio a citações de Isaías, São Mateus, São Marcos e São Lucas, e a exortações assinadas pelo Espírito da Verdade, como esta: "Espíritas! Amai-vos, este o primeiro ensinamento. Instruí-vos, este o segundo." E prosseguia:

> Eis que do além-túmulo, que julgáveis o nada, vozes vos clamam: "Irmãos! Nada perece. Jesus Cristo é o vencedor do mal, sede os vencedores da impiedade."

Na epígrafe, uma afirmação sem a assinatura de qualquer espírito: "Não há fé inabalável senão a que pode encarar a razão face a face, em todas as idades da humanidade."

Em abril de 1864, o livro já estava à venda em toda a França, devidamente anunciado na *Revista Espírita*: "Esta obra é para uso de todos. Cada um pode aí colher os meios de conformar sua conduta à moral do Cristo."

No mês seguinte — no primeiro dia de maio — a Igreja Católica deu um veredito sucinto sobre a terceira revelação: incluiu todas as obras publicadas por Allan Kardec no índex da sagrada congregação. Os cristãos deveriam manter distância destes livros, contrários aos princípios bíblicos.

Kardec reagiu ao veto com uma nova comemoração em assembleia na Sociedade:

> — A essa notícia, a maioria das livrarias apressaram-se em pôr essas obras em mais evidência.

Alguns livreiros se intimidaram, sim, mas, em vez de se livrarem dos livros, tomaram o cuidado de retirá-los das prateleiras e de colocá-los atrás do balcão, à disposição dos interessados em conhecer obras tão polêmicas.

A reação da Igreja não foi nenhuma surpresa para Kardec. Poucos meses antes da publicação de *Imitação do evangelho segundo o espiritismo* — em 9 de agosto de 1863 —, ele recebera, também pelas mãos do sr. D'Ambers, uma comunicação preocupante sobre a repercussão do evangelho espírita:

> — O clero clamará a heresia, porque verá que neste livro atacas firmemente as penas eternas e outros pontos sobre os quais apoia sua influência e seu crédito.

Quando esta mensagem foi escrita, o médium não tinha qualquer informação sobre o conteúdo da obra ainda em elaboração. Kardec manteve o tema do livro em sigilo até o momento da publicação. Um cuidado que tomara para confirmar se as mensagens sobre o novo projeto vinham mesmo dos "mortos".

A depender dos avisos do além, os ataques seriam muitos, mas a polêmica valeria a pena mais uma vez:

> — Os espíritas verão seu número aumentar, em razão desta perseguição, sobretudo ao ver os padres acusarem de demoníaca uma obra cuja moralidade brilhará como um raio de sol...

O novo bispo de Barcelona

No dia 31 de julho de 1864, um novo bispo assumiu o comando da Igreja em Barcelona, palco do auto de fé de três anos antes. Enquanto seu antecessor pedia perdão por seus pecados em mensagens póstumas na Sociedade Espírita de Paris, dom Pantaléon Montserrat y Navarro mandava publicar um artigo furibundo contra o espiritismo no jornal *El Diário de Barcelona*.

No panfleto, lamentava o "triste espetáculo" oferecido pelo espiritismo: a evocação dos espíritos invisíveis em antigas práticas de necromancia e o "monstruoso comércio" entre a luz e as trevas, a verdade e o erro, o bem e o mal.

O bispo estava indignado com a repercussão alcançada pelos milhares de exemplares de *O livro dos espíritos* em circulação na Espanha em pleno século XIX, "tão rico em descobertas sobre as leis da natureza e em experiências científicas". E citava o filósofo Pascal para explicar como tantas "fábulas" prosperavam entre homens de bem: "Os incrédulos são os mais levados a crer em tudo."

Ridículos — era assim que o bispo definia os "sonhos da magia e aparições de espíritos". E era com estas palavras que classificava Allan Kardec, o "grande propagador desta seita de modernos iluminados": "um sonhador de imaginação exaltada e em delírio."

Que Kardec desistisse de estabelecer ligações cristãs entre a doutrina espírita e a fé católica — o bispo não admitiria este atentado ao cristianismo. Contra *O livro dos espíritos*, tinha a Bíblia, as escrituras santas. Estava em Eclesiastes (XXI: 5,7): "As adivinhações, os augures e os sonhos são coisas vãs, e o coração sofre essas quimeras."

Para tentar deter os "delírios e quimeras" espíritas, o bispo baixou um decreto:

> Condenamos *O livro dos espíritos*, traduzido em espanhol sob o título de *Libro de los espiritos* (...). Proibimos a sua leitura a todos os nossos diocesanos, sem exceção, e lhes ordenamos que entreguem a seus curas os respectivos exemplares que lhes caírem nas mãos, para que nos sejam enviados com toda segurança possível.

E ele nem tinha lido ainda *A imitação do evangelho segundo o espiritismo*, sem versão em espanhol...

Que se abram as cortinas

Desta vez, Kardec preferiria não entrar em polêmica. Tinha muito trabalho a fazer nas cidades onde era bem-vindo. Depois de descansar da maratona do ano anterior, arrumou as malas de novo para atender a convites feitos pelos aliados de Bruxelas e da Antuérpia. Por todo canto, nos bairros mais populares e nas regiões mais nobres da Bélgica, eram inauguradas novas associações espíritas dedicadas não aos "sonhos da magia e da aparição de espíritos", mas à caridade.

Em um destes centros, batizado de A Fraternidade, os sócios se uniram para oferecer roupa e comida aos necessitados, e patrocinar uma creche para famílias de operários. Em outro grupo, o Amor e Caridade, associados percorriam bairros da periferia para dar apoio espiritual e material em visitas semanais.

Kardec festejou a "revolução em marcha" na região e se rendeu também a um fenômeno típico da fase definida por ele como "jardim de infância do espiritismo". Ele já tinha assistido a prodígios de muitas mesas e cestos encantados, mas nunca testemunhara mesa mais ligeira — e mais habilidosa — do que a de um médium de Antuérpia.

Os ditados do além vinham a jato através dos três pés da mesa. Cada um ecoava uma série de letras do alfabeto: o pé número um, do A ao H; o dois, do I ao P; e o três, do Q ao Z. Três assistentes se desdobravam para contar as pancadas e convertê-las em letras — cada um atento a um dos pés. Uma pancada, letra A, duas pancadas, letra B, e assim sucessivamente, de acordo com o velho método.

Havia, porém, uma novidade neste processo já um tanto ultrapassado: as palavras se formavam de trás para a frente. Eram ditadas ao avesso e geravam textos de até vinte linhas em menos de quinze minutos, diante de testemunhas perplexas.

Kardec, que já não se impressionava com fenômenos como este, trataria de dividir seu entusiasmo com os leitores da *Revista Espírita* na edição de outubro de 1864:

> Esta divisão de letras, aliada à cooperação de três pessoas que não se podem comunicar, à rapidez do movimento e à indicação das letras em sentido inverso, tornam a fraude materialmente impossível.

Em Bruxelas, testemunhou outra manifestação extraordinária. Sem que ninguém evocasse qualquer espírito, a médium, lápis à mão, pôs no papel a seguinte frase, escrita com letras trêmulas e graúdas: "Arrependo-me, arrependo-me. Latour."

Sete pessoas acompanharam a cena, ou melhor, uma sequência eletrizante. Logo depois de escrever as primeiras palavras, a médium largou o lápis e entrou em transe. Com as feições crispadas, mãos enrijecidas, olhos arregalados de terror, passou a dar voz ao recém-chegado: um criminoso executado na guilhotina.

O que Latour via e sentia do outro lado atemorizou a todos.

> — Piedade! Que é a guilhotina perto do quanto sofro agora? Nada. Esse fogo que me devora é pior; é uma morte contínua, é um sofrimento que não deixa trégua nem repouso. E minhas vítimas estão aí, em volta de mim, me mostram suas feridas... Me perseguem com o olhar. E este mar de sangue? E este ouro manchado de sangue? Tudo sangue. Ei-las essas pobres vítimas; elas me imploram... E eu, sem piedade, firo... Firo... Firo sempre. O sangue me embriaga.

O inferno era ali.

Kardec transcreveu o pedido de socorro do criminoso arrependido e o divulgou como um alerta geral. Melhor fazer o bem para não se arrepender depois.

Esta seria a mensagem central de seus discursos em Bruxelas e Antuérpia.

O descrente poderia duvidar de tudo — da mesa eletrizante e da médium transtornada —, mas não poderia questionar a caridade.

Os visitantes russos

De volta a Paris, Kardec recebeu a visita de dois jovens recém-chegados de Moscou. Estudiosos do espiritismo, bateram à porta da Sociedade Espírita ávidos por assistir, ao vivo, às sessões descritas na *Revista Espírita*.

Desde a fundação da associação, sete anos antes, em 1857, cerca de 6 mil ouvintes — devidamente avaliados e cadastrados por Kardec — foram admitidos na instituição. Os russos seriam, sim, bem-vindos, mas precisariam tratar com os devidos respeito e discrição os fatos testemunhados nos encontros da semana.

Eram cinco da tarde e a penumbra tomava conta do salão principal quando eles chegaram. Kardec os encaminhou a uma sala de recepção e admitiu que acompanhassem uma das primeiras consultas da noite. Um jovem operário queria conselhos do mestre sobre como lidar com a própria mediunidade. Já tinha lido *O livro dos espíritos* e *O livro dos médiuns*, mas se sentia, às vezes, sob a influência de espíritos inferiores. Kardec tranquilizou o médium em formação diante dos visitantes.

A sensação que ele experimentava era natural. Muitas vezes os maus espíritos chegavam antes dos bons. Se trabalhasse com seriedade e agisse com honestidade e moderação, logo estaria em boas mãos, amparado por espíritos de luz.

Após encerrar a consulta, Kardec pôde dar atenção exclusiva aos visitantes estrangeiros. Estava curioso por notícias sobre os avanços do espiritismo em Moscou e sobre o vínculo dos desconhecidos com a doutrina.

Kardec não sabia — nenhum espírito o informara —, mas tudo o que a dupla visse e ouvisse na sede da Sociedade acabaria nas páginas de um jornal de São Petersburgo, o *Doukhownaia Beceda*. O jovem operário, que acabara de se despedir, seria descrito com as seguintes palavras no artigo dos "correspondentes", publicado em novembro de 1864:

> A voz, o ar acanhado do moço, tudo denotava uma violenta agitação... Suas palavras nos revelaram que era um médium recente, obsidiado pela força impura que lhe dava respostas sob a máscara de puros espíritos...

A conversa entre o discípulo transtornado e o mestre moderado não passaria, segundo eles, de uma "comédia representada" para os impressionar.

Os autores do artigo ficaram impressionados com a fisionomia "bastante agradável" do anfitrião e com a força de seus "olhos admiráveis", capazes de "varar" o indivíduo. Com a voz calma, expressão tranquila, Kardec repetiu as respostas que costumava dar a dúvidas recorrentes.

Num francês sofrível, um dos russos quis saber:

> — Como distinguir os bons espíritos dos maus?

Kardec respondeu em tom suave:

> — Pelo nível das mensagens morais e religiosas.

A segunda pergunta foi mais escorregadia:

> — E por que eles não se manifestam sobre questões científicas e políticas?

E o mestre foi mais seco.

— Os espíritos não se metem em assuntos como estes.

Política, então, estava fora de cogitação no Império de Napoleão III, ainda sob censura e vigilância constantes.

Às oito da noite de uma sexta-feira, com o aval de Kardec, a dupla de Moscou tomou lugar no salão principal, diante da mesa recoberta por um pano verde, onde já estavam dispostos lápis afiados e páginas em branco, à espera das mensagens do além. Na parede, uma estatueta com a imagem de São Luís, presidente espiritual da associação, lançava os olhos sobre a audiência.

Cerca de setenta pessoas, entre elas a atenta Amélie, ocupavam as cadeiras enfileiradas diante da mesa para acompanhar a sessão iniciada com a leitura de um capítulo de *O evangelho segundo o espiritismo*. Naquela noite, a expectativa era grande: se a evocação desse certo, um dos oito médiuns presentes colocaria no papel mensagens do recém-falecido sr. Bruneau, membro da Sociedade Espírita, antigo aluno da escola Politécnica e coronel de artilharia.

Kardec fez um discurso em homenagem ao companheiro — "homem livre, cheio de esperanças no progresso intelectual e moral da sociedade" —, e o silêncio tomou conta da sala até que a mão de um dos comensais se movesse sobre o papel. Um médium descrito assim pelos espiões russos:

> (...) um jovem com cara de trapaceiro, numa palavra, pronto por um quarto de rublo a dizer de cor pelo menos meia libra de toda sorte de absurdos!

Através deste "trapaceiro", o sr. Bruneau mandava notícias, saudava os companheiros e dava testemunho da "vida nova" no além, mas sua mensagem não mereceu qualquer citação no jornal de São Petersburgo. Para os espectadores russos, o visitante invisível não passava de uma ficção criada para entreter a plateia:

> O público, na maioria de meia-idade, era característico: quase metade era de semiloucos. A gente moça, extasiada e desgrenhada, seguia atentamente os movimentos do médium. Lá havia criaturas tão cegamente crentes, que até era pecado rir delas: só se podia lamentá-las.

Kardec recebeu o artigo logo após a publicação e lamentou não poder denunciar os estrangeiros por calúnia e difamação, como faria na França.

Era por estas e outras que tentava controlar ao máximo o acesso de estranhos à Sociedade. Mas nem assim ficava livre de trapaceiros como aqueles.

Nem de outros...

O MÉTODO E OS MÉRITOS

Perseguido por adversários e incensado por admiradores, Kardec agia como líder do movimento, mas fazia questão de corrigir o papel que muitos lhe atribuíam: o de criador ou inventor da doutrina. Seu crédito, repetia, era outro, o de organizador das mensagens do além: "Vi, observei, estudei os fatos com cuidado e perseverança; coordenei-os e lhes deduzi as consequências; eis toda a parte que me cabe."

Os fatos — e não hipóteses, insistia — confirmavam a existência do mundo invisível e comprovavam a presença constante e a influência permanente dos espíritos sobre nós. A constatação de que a vida continuava através dos tempos e de que colhíamos o que plantávamos em existências anteriores conduziria, inevitavelmente, à reforma moral da humanidade. Mais cedo ou mais tarde, os materialistas sucumbiriam às revelações da doutrina espírita.

Esta era a sua esperança. Esperança, não: convicção. Kardec transmitia confiança para mobilizar as tropas, mas nos bastidores tratava de manter postura mais defensiva.

O espírito de Jobard, evocado mais uma vez na Sociedade Espírita, deu trabalho a ele e sua equipe em outubro de 1864. Uma sonâmbula em transe transmitira um conselho atribuído ao velho correligionário e endereçado a outro médium da associação: o destinatário da mensagem deveria cobrar pelas consultas dos ricos e doar o dinheiro aos pobres e operários.

Kardec estranhou o conselho mercantilista e decidiu, então, pôr em ação seu principal método de pesquisa: o de checar a autenticidade da mensagem com diferentes fontes ao mesmo tempo.

Seis médiuns foram acionados sem saber que não eram os únicos chamados para atender ao seguinte pedido:

> — Tende a bondade de perguntar ao espírito do sr. Jobard se ele ditou à sra. X, em sonambulismo magnético, uma comunicação para outro médium, em que o aconselha a explorar sua faculdade. Necessito desta resposta para amanhã.

Pelas mãos do médium Leymarie, veio um redondo "não" em tom nada comedido:

> — Mas quê! Então, caros amigos, o meu nome serve de plastrão a toda espécie de gente. Há muito estou habituado a esses plagiários sem vergonha, que me fazem, de vez em quando, mudar de cor como camaleão.

Através da sra. Costel, outro "não", este bem mais ponderado:

> — Venho reclamar e protestar contra o abuso que fazem de meu nome. Os pobres de espírito — e os há muitos entre os espíritos — têm o feio hábito de apoderar-se de nomes que lhe servem de passaporte junto a médiuns orgulhosos e crédulos.

Uma interrogação abriu a resposta intermediada pelo terceiro médium, o sr. Rulle:

> — Como poderia crer que aquele que, em todas as suas comunicações, recomendou a caridade e o desinteresse hoje viria contradizer-se?

E uma provocação dirigida diretamente a Kardec — "meu caro presidente" — marcou a mensagem escrita pelo sr. Vézy e assinada por Jobard:

> — Julgais-me capaz de escrever as frivolidade que vos leram?

A enquete terminava com outros dois "nãos" e um desaforo posto no papel pelo médium D'Ambel:

> — Ora! Como há tantos bobos no mundo dos espíritos quanto entre vós — sem vos ofender —, um bobo pôde dar a outro a comunicação sonambúlica em questão.

O placar terminara em 6 x 1. Vitória com folga para a orientação que Kardec não se cansava de repetir aos médiuns: a de nunca, em hipótese nenhuma, cobrar pelo trabalho.

O fabuloso Hillaire

Um conselho que Kardec repetiria, por escrito, a um dos médiuns em evidência na época: o simplório camponês Hillaire, morador da pequena cidade de Sonnac. Na presença dele, mesas e cadeiras se moviam no ar, e objetos de todos os pesos e tamanhos flutuavam sobre as cabeças de espectadores estupefatos.

Para os admiradores, não havia dúvidas: Hillaire era um prodígio comparável ao impressionante médium escocês Daniel Dunglas Home, capaz de levitar a metros do chão, em plena luz do dia. Para os incrédulos, ele poderia, sim, ser comparado a Home, mas por sua capacidade de ludibriar os incautos e ganhar dinheiro com seus truques.

Admirador de Home — a quem dedicara uma série de artigos elogiosos na *Revista Espírita* —, Kardec acompanhou com atenção os feitos de Hillaire e os riscos que o rondavam. Em cartas enviadas ao autor de *O livro dos espíritos*, o médium relatara o sonho de lotar teatros maiores do que sua aldeia e manifestara o desejo de se encontrar com o mestre em Paris.

Kardec manteve distância. Em vez de marcar um encontro, enviou ao jovem admirador uma carta repleta de advertências. Era preciso tomar cuidado com o orgulho, a vaidade e a ambição. Misturar mediunidade e dinheiro seria um erro grave. O jovem deveria continuar no campo e abandonar os projetos de sair pelo mundo em turnês teatrais. Ele poderia, sim, prestar grandes serviços à causa do espiritismo, mas em sua terra, ao lado da família e dos amigos.

Contrariado, Hillaire interrompeu a correspondência e, em pouco tempo, ganhou mais destaque ainda — agora nas páginas policiais dos principais jornais de sua cidade e arredores. Seu patrocinador mais devotado, o abnegado comerciante espírita Vitet, denunciara o "médium" por fraude ao flagrar os fios invisíveis que ele e sua mulher usavam nas "sessões de transporte" atribuídas a espíritos. Indignado, Vitet foi à polícia e à imprensa para exigir a prisão dos farsantes — Hillaire e sua cúmplice — e a devolução imediata de suas doações.

O "médium" fugiu da cidade, e Kardec recebeu em casa mais uma carta sobre seus "prodígios". Um pedido de socorro assinado por Vitet. Na correspondência, a vítima pedia ajuda ao diretor da *Revista Espírita* e a seus leitores para localizar os foragidos e levá-los à cadeia:

> É preciso tirar-lhes todos os recursos, a fim de que sejam castigados pela justiça dos homens. Espero também que a justiça desse Deus de misericórdia os castigue também, pois fazem um grande mal ao espiritismo. Oro a Deus para que sejam descobertos.

Kardec leu a carta, mas, em vez de publicá-la, sentou-se à escrivaninha para produzir uma resposta urgente. Em vez de defender a punição, pediu para a vítima perdoar o farsante:

> Não é uma contradição de vossa parte dizer que orais ao Deus de misericórdia para fazer com que os culpados sejam presos? Dirigir-lhe semelhantes preces é ofendê-lo, é esquecer-se de que ele disse: "Sereis perdoado como tiverdes perdoado aos outros."

Em vez de dar apoio a Vitet, condenou sua indiscrição:

> Tanto por caridade, quanto pelo interesse que dizeis ter pela doutrina, deveríeis ter feito o que estava em vosso poder para evitar o escândalo. Pela repercussão que destes a estes fatos, fornecestes armas aos inimigos.

Vitet recebeu a carta e foi mais indiscreto ainda: anexou a resposta do principal líder da doutrina espírita ao processo movido contra Hillaire. O texto seria lido em voz alta, em pleno tribunal, quando o acusado, finalmente preso, fosse a julgamento, em fevereiro de 1865.

Vinte testemunhas deram depoimentos em favor dos fenômenos protagonizados por Hillaire. Representantes da Sociedade Espírita local defenderam a realidade do "mundo espiritual" e a lógica da doutrina, independentemente de fenômenos físicos. Um juiz, o sr. Jaubert, também deu seu parecer. Ele já presenciara, ao lado de amigos, levitações e transportes realizados "à luz das lâmpadas e do dia", como os descritos por quem assistiu aos espetáculos de Hillaire. Nem tudo era mistificação... Fraudes operadas por um homem não poderiam desmoralizar toda uma doutrina.

O tribunal declinou da competência de apreciar "todos os transportes e outros fatos medianímicos" atribuídos ao réu, mas — diante do testemunho indignado do sr. Vitet — condenou o médium a um ano de prisão e multas, de acordo com os artigos 336, 337 e 338 do Código Penal.

Apesar da condenação, o final do julgamento foi festejado pelas lideranças espíritas — e por Kardec também:

> O espiritismo não saiu apenas são e salvo desta prova: dela saiu com as honras da guerra. É verdade que o tribunal não proclamou a realidade das manifestações de Hillaire, mas, ao afirmar ser incapaz de avaliar os fenômenos, não as declarou fraudulentas.

Em carta publicada desta vez na *Revista Espírita*, em março de 1865, Kardec agradeceu aos correligionários pela defesa do espiritismo e declarou a crença nos poderes de Hillaire, ou melhor, em sua "notável faculdade". Ele teria sido arrastado ao desvio e interrompido sua missão apenas por fraqueza. E quem seríamos nós para julgá-lo?

> Não podemos condená-lo nem absolvê-lo! Só a Deus pertence o julgamento por ele não haver cumprido a tarefa até o fim. Irmãos, estendamos-lhe a mão de socorro e oremos por ele!

Nenhuma palavra sobre Vitet.

A oração de Victor Hugo

Denúncias de fraudes como estas e os incessantes artigos irônicos publicados nos jornais contra o espiritismo não abalavam a fé dos adeptos mais convictos. O escritor e poeta Victor Hugo, por exemplo, continuava às voltas com as comunicações intermediadas por mesas, cestos e mãos, e fazia questão de declarar em público sua convicção na sobrevivência do espírito.

Coube a ele fazer, em maio de 1865, o discurso de despedida de Emily de Putron, uma jovem amiga de seu filho. Duas semanas antes, ela era a mais comovida no casamento da irmã. Agora estava ali, dentro de um caixão lacrado, morta aos 22 anos, ela que fora "como um jardim de alegrias espalhado pela casa".

> — Para onde foi? Para a sombra? Não. Nós é que estamos na sombra. Ela está na aurora da recompensa.

Victor Hugo não tinha dúvidas ao encarar a morte como a vida. Ou melhor, com muito mais esperança, a julgar pelas frases ditas entre os túmulos do cemitério:

— A beleza da morte é a presença. Os mortos são invisíveis, mas não ausentes. A morte é a maior das liberdades. É a ascensão de tudo o que viveu ao grau superior. Ascensão deslumbrante e sagrada!

Kardec recebeu uma cópia do discurso e fez questão de ler o texto em sessão na Sociedade Espírita de Paris. Logo após a leitura, a médium Costel arrastou o lápis sobre o papel:

— As palavras do poeta correram sobre esta assembleia como um sopro sonoro. Fizeram os espíritos estremecerem; evocaram minh'alma, que ainda flutua incerta no éter infinito!

Depois de agradecer o poeta — "revelador da vida" —, a visitante invisível mandou mensagens à família saudosa.

— Ó, minha mãe, minha irmã, minhas amigas, grande poeta! Não choreis mais, ficai atentos! O murmúrio que acaricia os vossos ouvidos é meu. O perfume da flor inclinada é meu hálito.

Ao fim, a assinatura: Emily de Putron.

PARTE VII

Contagem regressiva

Balanço de vida

Muito menos mágicas eram as sessões sobre o caixa do espiritismo. Em junho de 1865, mais uma vez, Kardec foi a público, em encontro na Sociedade Espírita, para atualizar contas e reagir às insinuações ou acusações de que ficava cada vez mais rico à custa da doutrina.

A doação de 10 mil francos, já declarada em 1860, motivara outros três doadores a contribuir com a causa espírita: quinhentos francos entraram nos cofres da Sociedade em 1862, e donativos de mil e 2 mil francos se somaram a eles no ano seguinte. Total doado: 13.500 francos — o correspondente a pouco mais de quatro anos de aluguel da sede da associação.

Estas eram as contas fáceis de fazer e declarar. As mais complexas — e que mais irritavam Kardec — eram as relacionadas às vendas de suas obras e às assinaturas da *Revista Espírita*. As vendas superavam, sim, em muito, as estimativas iniciais do autor, mas estavam longe de torná-lo um milionário, como se dizia:

> — Basta ter um leve conhecimento de assuntos editoriais para saber que não é com livros filosóficos que se amontoam milhões em cinco ou seis anos, pois sobre a venda de cada exemplar só se recebe o direito autoral de alguns cêntimos.

Os lucros obtidos com a *Revista Espírita* — esta, sim, de propriedade dele — estariam em queda por dois motivos: o não pagamento de alguns assinantes (muitos deles moradores do exterior) e as distribuições gratuitas, "pelo bem da doutrina", a quem não tinha condições de pagar.

Mas quanto, enfim, livros e assinaturas rendiam a Kardec? Este número ele não revelava:

> — Imaginai as cifras que quiserdes!

Kardec evitava comentar, mas comprara um terreno de 2.666 metros quadrados na avenida Ségur, logo atrás da rua des Invalides. O negócio esgotou seus recursos e ele precisou contrair um empréstimo de 50 mil francos no Crédit Foncier para concluir um projeto que também mantinha em sigilo: o de construir um asilo — com seis pequenas casas — para abrigar seu sucessor (ainda sem nome) e os defensores mais devotados — e mais pobres também — do espiritismo.

De onde vinham os recursos para os investimentos imobiliários? Da venda de suas obras — e ninguém tinha nada a ver com isso.

Os livros eram resultado de esforço seu, de noites maldormidas e fins de semana sacrificados, e a *Revista Espírita*, ele a mandou imprimir, desde o primeiro número, sem qualquer apoio. E bastava ler cada edição para medir quanto esforço e quanto tempo exigiam dele os textos publicados:

> — Não vivo à custa de ninguém. E o que faço com a renda do meu trabalho? Isso é o que mais preocupa certa gente.

Kardec continuava a morar no mesmo apartamento, ao lado de Amélie, sem tempo para quaisquer distrações. Uma vida sem filhos, dedicada a escrever e reescrever artigos e livros, entre viagens de divulgação da doutrina, sessões na Sociedade Espírita e recepção a visitantes que não paravam de chegar de todos os cantos, todos os dias.

O sucesso de *O livro dos espíritos* e de *O livro dos médiuns* rendera — e ainda rendia — lucro, mas suas despesas, afirmou, cresceram na mesma proporção de sua responsabilidade e de sua projeção pública como principal divulgador da doutrina. Só para responder a todas as cartas de leitores e líderes de sociedades espíritas, chegava a gastar, do próprio bolso, mais de oitocentos francos por ano:

> — Não exagero ao dizer que minhas despesas anuais, que foram crescendo incessantemente, foram triplicadas desde o lançamento do primeiro livro.

Os recursos gerados por suas obras o ajudavam a financiar a dívida para a compra do terreno, a custear despesas extras em favor do espiritismo e a patrocinar as longas viagens de promoção das ideias espíritas. Nenhum franco — garantia — fora gasto com luxos e extravagâncias. Mesmo porque, por conta das dificuldades financeiras da vida de professor, aprendera a viver apenas com o necessário.

Certa nostalgia marcava aquele discurso proferido na sede da Sociedade. Afinal, oito anos já se tinham passado desde o lançamento de *O livro dos espíritos* e a metamorfose do professor Rivail em mestre Allan Kardec. Ao olhar para trás, entendia melhor por que o início fora tão duro e por que ouvira tantas vezes do Espírito da Verdade os pedidos para que tivesse calma enquanto penava com a falta de dinheiro:

> — Não te inquietes; Deus sabe o que te é preciso e saberá provê-lo.

Quantas vezes, enquanto se desdobrava como contador e professor, lera frases como estas nas mensagens endereçadas a ele?

Depois de tanta luta, tinha certeza de que — tivesse dinheiro de sobra no começo da jornada — teria desperdiçado os recursos. Como Jobard, o impaciente, teria investido fortunas em publicidade para propagar o espiritismo, por desconhecer ainda a influência gratuita dos divulgadores mais inflamados: os adversários.

Grato por campanhas espontâneas como a do auto de fé de Barcelona, Kardec avaliava:

> — Eles se encarregaram, e se encarregam, de levar nossas ideias adiante. Não pondo grandes recursos à minha disposição, os espíritos quiseram provar que o espiritismo não devia o seu sucesso senão a si mesmo, à sua própria força, e não ao emprego dos meios vulgares.

Semanas antes deste discurso, um amigo perguntara a Kardec sobre o que faria se recebesse um milhão de francos como doação. Sua resposta revelou preocupação com o tempo de vida que ainda teria pela frente, e com a falta de possíveis sucessores a seu redor.

Uma parte desta fortuna, ele reservaria para transformar sua propriedade num retiro espírita. O restante, investiria como "renda inalienável" para manter a instituição, sustentar seu sucessor e os colaboradores, e patrocinar as "despesas correntes" do espiritismo, sem a necessidade de lançamento de produtos eventuais — livros, por exemplo.

> — Eis o que eu faria. Mas esta satisfação não me é dada e pouco me importa que o seja a outros. Aliás, sei que, de um modo ou de outro, os espíritos que dirigem o movimento proverão a todas as necessidades em tempo hábil. Eis porque não me inquieto absolutamente por isto e me ocupo do que para mim é o essencial: a conclusão dos trabalhos que me restam por terminar. Feito isto, partirei quando a Deus aprouver chamar-me.

A prestação de contas de 1865 foi também um balanço de vida.

Receitas do além

Kardec estava cansado, ou melhor, exausto. Só os mais íntimos sabiam, mas, no início de 1865, sofrera um acidente cardiovascular grave e ficara de cama por longos dias, acompanhado de perto por Amélie e por um médico invisível: o homeopata Antoine Demeure, morto aos 71 anos, em 25 de janeiro daquele ano.

Os dois não se conheceram em vida, mas se tornaram íntimos quando Demeure passou a se manifestar através dos médiuns da Sociedade Espírita. Cinco dias depois de sua morte, veio a primeira mensagem, uma comunicação festiva sobre a sensação de liberdade do "outro lado":

> — Como sou feliz! Não mais velho nem enfermo. O corpo, esse era apenas um disfarce...

Logo após o distúrbio cardiovascular de Kardec, o médico enviou outra comunicação, em tom bem mais sóbrio e preocupado. Se ele, Demeure, não estivesse por perto quando a pressão de Kardec subiu e seu coração ameaçou parar, o codificador estaria tão "livre" quanto ele no além. Mas aquele não era o momento adequado para esta libertação:

— É preciso, antes de partir, dar uma última demão às obras complementares da teoria doutrinal de que és o iniciador.

Kardec deveria se cuidar para concluir sua missão. Um descuido poderia ser punido pela espiritualidade com rigor, a julgar pelo alerta assinado por Demeure:

— Se, por excesso de trabalho, tu anteciipares a partida para cá, serás passível da pena de suicídio involuntário.

Só depois de ler e reler esta mensagem Kardec decidiu se recolher sob os cobertores de seu quarto e abandonar a leitura das cartas e dos livros recém-lançados que lotavam sua caixa postal.

Uma pausa rápida antes de concluir sua nova obra.

O CÉU E O INFERNO

Em setembro de 1865, Kardec anunciou, na *Revista Espírita*, o lançamento de seu quinto livro: *O céu e o inferno — ou a justiça divina segundo o espiritismo.*

O subtítulo era tão detalhado quanto os das obras anteriores: "Contendo: o exame comparado das doutrinas sobre a passagem da vida corporal à vida espiritual, as penas e recompensas futuras, os anjos e os demônios, as penas eternas; segundo numerosos exemplos da situação real da alma durante e após a morte."

Desta vez, porém, Kardec não atribuía a autoria do texto a espíritos superiores e a colaboradores invisíveis. Dividido em duas partes, "Doutrina" e "Exemplos", o livro era resultado de pesquisa e reunia inclusive histórias recentes já publicadas nas edições da *Revista Espírita*.

Velhos conhecidos dos leitores, como Jobard e Sanson, ressurgiriam nas páginas do livro como exemplos de "espíritos felizes". Jacques Latour — que também enviara mensagens na sede da Sociedade — estava entre os "criminosos arrependidos". Personagens do noticiário também eram citados no capítulo "Suicidas", com a identidade devidamente preservada por Kardec.

Onde esta gente feliz e infeliz estaria hoje? No céu? No inferno? No purgatório? Que "céu" e que "inferno" seriam estes, os do espiritismo?

Sem medo de riscar do mapa as imagens dos subterrâneos infernais e das alturas celestiais, Kardec escrevia:

> O inferno está por toda parte em que haja almas sofredoras e o céu está igualmente em toda parte onde houver almas felizes.

Anjos e demônios, tão caros à crença católica, seríamos todos nós e estaríamos em todos os cantos, "unidos a corpos materiais":

> Esses seres constituem a Humanidade que povoa a Terra e as outras esferas habitadas; uma vez libertos do corpo material, constituem o mundo espiritual ou dos espíritos, que povoam os espaços.

E quem decretaria, em primeira e última instância, o destino de todos? Nós mesmos — e não um Deus todo-poderoso e, muitas vezes, implacável a ponto de fazer arder os pobres pecadores.

"A cada um, segundo suas obras" — palavras de Cristo citadas por Kardec antes de martelar conceitos já revelados nas obras anteriores:

> A lei geral é que toda falta terá punição e todo ato meritório terá recompensa, segundo o seu valor. A reencarnação pode dar-se na Terra ou em outros mundos, mais ou menos evoluídos. Os espíritos superiores só se ocupam de comunicações inteligentes, visando a instruir-nos.

Ao citar longos trechos de *O livro dos espíritos* e *O livro dos médiuns* e resgatar histórias já publicadas na *Revista Espírita*, Kardec dava sinais de cansaço.

E ficaria mais cansado ainda quando dois novos visitantes estrangeiros desembarcassem em Paris: os famosos e polêmicos irmãos Davenport.

Dupla do barulho

Antes de desembarcar na França, no início de setembro, os jovens de Nova York enviaram uma carta a Kardec. A exemplo do camponês Hillaire e de outros fenômenos em destaque, buscavam o apoio do diretor da *Revista Espírita* para a divulgação de seus dons e de seus espetáculos. Mais: a chancela do autor de *O livro dos espíritos* serviria como um aval para a dupla, tantas vezes alvo de ataques e suspeitas.

Kardec os conhecia de nome, é claro, e preferiu não dar qualquer apoio aos forasteiros antes de conferir ao vivo seus poderes mediúnicos, uma longa lista de efeitos físicos já investigada pela comissão contratada pelo jornal *Boston Courier* oito anos atrás: toque espontâneo de instrumentos musicais, transporte de objetos no ar, aparição de mãos luminosas.

Os irmãos Davenport estavam no auge da fama e da polêmica, e eram tema de biografia escrita por um jornalista inglês, dr. Nichols, recém-traduzida e publicada em Paris pelo renomado Didier, mesmo editor das obras de Allan Kardec.

E foi Didier quem fez questão de incluir na versão francesa da biografia dois anexos sobre o espiritismo: *Resumo da lei dos fenômenos espíritas* e *O espiritismo na sua expressão mais simples*, súmulas das principais ideias divulgadas pelo autor de *O livro dos espíritos*, *O livro dos médiuns* e *O evangelho segundo o espiritismo.*

Juntos na biografia, Kardec e os Davenport continuariam separados na França, apesar da longa permanência da dupla em território francês. Recém-chegados de uma turnê barulhenta pela Inglaterra, os irmãos queriam descanso e passaram algumas semanas recolhidos no pequeno castelo de Gennevilliers, antes de voltarem aos palcos.

A primeira sessão pública dos "médiuns" — era assim que se identificavam — foi marcada para 12 de setembro de 1865 na elegante sala Hertz. O "gabinete mediúnico" onde eles ficavam confinados, totalmente amarrados, ao lado de diversos instrumentos musicais, foi instalado sob a luz de tochas e velas, no centro do tablado, diante de um público ávido por fenômenos sobrenaturais.

Em breve, se tudo desse certo, sons celestiais e ruídos infernais sairiam das cordas dos violinos, violões e rabecas, através do "closet espiritual", sem que os jovens tivessem quaisquer condições de se mover, atados que estavam por nós apertados e conferidos por uma comissão de espectadores.

Espíritos seriam os responsáveis por aquele concerto mágico. Os fluidos magnéticos dos irmãos, de 24 e 25 anos, seriam usados pelos visitantes invisíveis para atuar sobre a matéria.

Kardec não estava na plateia para conferir, mas seria informado, na mesma noite, do desfecho daquela "sessão mediúnica".

Como acontecera em Liverpool, um dos espectadores saltou no palco, invadiu o "armário mediúnico" e revelou, no fundo do tablado, as tábuas soltas por onde passariam assistentes dos embusteiros:

— Eis o truque!

E só restou à gerência a opção de devolver o dinheiro ao público para evitar a destruição do teatro.

*

Na edição de 15 de setembro do *Courrier de Paris du Monde Illustré*, o jornalista se divertiu com as artes dos "bons rapazes" e com o poder deles sobre os "comparsas sobre-humanos":

> Os irmãos Davenport tratavam esses espíritos — que afinal de contas não são seus empregados — com tanta liberdade quanto um diretor de teatro dita regras às suas coristas!
>
> E para que tarefa convocavam essas infelizes almas de além-túmulo? Para as rebaixar a saltimbancos! Para as obrigar a brincar com violões, esses instrumentos grotescos, que nem mais querem os trovadores que arrulham nos pátios, com os olhos em moedas de cinco cêntimos!

Kardec leu o artigo e concordou com os principais pontos do texto. Nenhum médium teria tanto poder sobre os espíritos. Espíritos elevados jamais se submeteriam a espetáculos como aqueles. E fenômenos como estes, atribuídos ao mundo invisível, nunca poderiam ser comercializados com dia e hora marcados, com tanta regularidade e pontualidade. "O médium ficaria à mercê de tais espíritos, que podem deixá-lo no momento em que sua presença fosse mais necessária" — avaliou em artigo na *Revista Espírita* de outubro.

Kardec só não concordava com a euforia dos adversários do espiritismo ao proclamarem, mais uma vez, a desmoralização da doutrina. O "revés" dos irmãos Davenport, segundo ele, causava prejuízos apenas à imagem dos "exploradores do espiritismo". A filosofia ou ciência espírita real — devotada à caridade — estaria ilesa:

> O espiritismo não consiste em se fazer amarrar por cordas nem nesta ou naquela experiência física. O espiritismo não está encarnado em ninguém; está na natureza e de ninguém depende deter-lhe a marcha, porque os que tentam fazê-lo trabalham pelo seu avanço!

Despedida e surpresa

No dia 2 de dezembro de 1865, Kardec perdeu um de seus aliados mais fiéis: o editor Didier. Integrante da Sociedade Espírita de Paris desde a fundação, em 1858, ele se convertera ao espiritismo logo depois de mergulhar na leitura de *O livro dos espíritos* — que editou deste o início, em 1857 —, e já se preparava para imprimir a décima quarta edição da obra.

Na véspera de sua morte, participara de uma sessão na Sociedade. No dia seguinte, às seis da tarde, foi fulminado por uma parada cardíaca, no meio da rua, a alguns passos de casa.

A morte seria noticiada com certa ironia no *Petit Journal*. A má vontade do redator em relação ao espiritismo era tanta que ele não resistiu a fazer o seguinte comentário sobre a conversão de Didier:

> Nestes últimos tempos, o sr. Didier editara o sr. Allan Kardec e tornara-se, então, por polidez de editor, ou por convicção, um adepto do espiritismo.

No *Grand Journal*, o tom maledicente era o mesmo:

> Nestes últimos tempos, o sr. Didier era adepto — e o que mais vale ainda — e um fervoroso editor dos livros espíritas.

> O pobre homem deve saber agora a que se ater nas doutrinas do sr. Allan Kardec.

Kardec acompanhou o enterro do amigo em silêncio, e ouviu críticas por não ter feito o discurso de despedida. Por que se calou enquanto o corpo descia à sepultura? Por que não aproveitou a ocasião para homenagear o editor e, ao mesmo tempo, proclamar a "verdade espírita"? Sua justificativa era bastante simples: não queria ser acusado de usar uma cerimônia fúnebre como plataforma de divulgação. Muitos companheiros de Didier — diferentemente dos amigos dos finados Sanson e Jobard — não tinham qualquer ligação com a doutrina e poderiam encarar um discurso espiritualista com reservas ou mesmo irritação.

Se tomasse a palavra, Kardec teria de ser mais comedido do que de costume ao expor sua fé na vida depois da morte e na sobrevivência do espírito. E o comedimento poderia ser perigoso naquelas circunstâncias.

A caminho do cemitério, Amélie concordara com as ponderações do marido. A reticência dele ao longo do discurso poderia ser interpretada como medo ou até mesmo como uma espécie de negação dos próprios princípios. Melhor calar-se do que falar abertamente.

O silêncio à beira do caixão foi recompensado em artigo emocionado na *Revista Espírita*, em janeiro de 1866, uma homenagem ao "comerciante" em quem se podia confiar de "olhos fechados". Um homem que encarava, sim, o livro como um negócio, mas nunca com mesquinharia ou parcimônia:

> Era grande, largo. Não era o negociante de livros a calcular seu lucro vintém a vintém, mas o editor inteligente, justo apreciador, consciencioso e prudente.

E que lição tirar daquela morte súbita e fulminante? Cuidado! Atenção! De um instante para o outro, podemos ser chamados a prestar contas do "outro lado":

> Nossa vida se mantém por um fio, que pode romper-se quando não esperamos. Assim a morte fulminante adverte aos sobreviventes para que estejam sempre prontos a responder ao chamado do Senhor, para dar conta do emprego da vida que nos deu...

Outro editor admirado por Kardec tornou a semana de luto menos sofrida. Maurice Lachâtre — ainda exilado na Espanha, a salvo da censura de Napoleão III — enviou pelo correio uma surpresa encadernada, com capa de couro e título impresso em dourado: uma edição reluzente do *Novo dicionário universal.*

Dois belos volumes, com 20 mil figuras gravadas em madeira, ao longo de quatrocentos fascículos. Mais de 400 mil obras tinham sido consultadas na mais vasta pesquisa realizada até então sobre os mais diversos assuntos: mitologia, teologia, história, ciências, física, química, astronomia, invenções, medicina, geografia, marinha, economia doméstica e muito mais.

Kardec ficou pasmo com a qualidade da enciclopédia — que definiu como o "mais gigantesco empreendimento literário de nossa época" — e entusiasmado ao ver a quantidade de parágrafos dedicados à doutrina espírita nos verbetes "Alma", "Espírito" e "Reencarnação".

Seu nome — aliás, Allan Kardec — era o primeiro na lista de "cientistas, artistas e homens de letras" consultados por Maurice e sua equipe na preparação da obra. Um destaque festejado pelos admiradores do mestre, que tratou de explicar o motivo de tanta proeminência: a ordem alfabética.

Admirável para ele — isto, sim — era ver o espiritismo detalhado logo após as "teorias de alma" difundidas por Aristóteles, Platão, Leibniz, Descartes e outros filósofos:

> Segundo a doutrina espírita, a alma é o princípio inteligente que anima os seres da criação e lhes dá o pensamento, a vontade e a liberdade de agir.

Nada a corrigir.

Unido ao corpo material pela encarnação, o espírito constitui o homem; de sorte que no homem há três elementos: a alma propriamente dita, ou princípio inteligente; o perispírito, ou envoltório fluídico da alma; o corpo, ou envoltório material.

Nenhum reparo.

Uma pena Didier não estar ali, a seu lado, para ver e tocar aqueles volumes. Ou estava?

Feliz ano-novo

No último dia de 1865, o respeitado jornal *La Discussion*, dedicado a política e finanças em Bruxelas, reservou uma página inteira à "palavra da moda": espiritismo. O artigo intitulado "O espiritismo segundo os espíritas" foi lido por Kardec como uma espécie de presente de ano-novo.

Nunca um jornalista demonstrara tanto respeito pela doutrina espírita. O texto começava com um resumo das insinuações e acusações de sempre:

> Alguns pretendem que o espiritismo é o truque do armário dos irmãos Davenport. Outros afirmam que não passa da magia e da feitiçaria de outrora. Segundo as comadres de todos os bairros, os espíritas têm palestras misteriosas com o diabo.
>
> Enfim, lendo-se os jornais, fica-se sabendo que os espíritas são todos uns loucos ou, pelo menos, vítimas de certos charlatães, chamados médiuns.

O jornalista colecionou estas definições, mas não se contentou com elas. Para entender melhor o que tanto se debatia — e se atacava —, recorrera a um amigo simpatizante da doutrina, disposto a encarar os fenômenos mágicos. Queria ver as mesas girarem, os cestos escreverem e os médiuns entrarem em transe para dar voz aos mortos.

Não viu nada, mas escutou o amigo falar. E tratou de colocar no papel, sem críticas nem ironias, as frases ditas pelo companheiro espírita. Música para os ouvidos de Kardec:

> O espiritismo não é, como creem vulgarmente, uma receita para fazer as mesas dançarem. O espiritismo é uma ciência, ou melhor dito, uma filosofia espiritualista, que ensina a moral. Não é uma religião, desde que não tem dogmas, nem culto, nem sacerdotes, nem artigos de fé. Sua doutrina se firma sobre a prova certa da imortalidade da alma. É para fornecer esta prova que os espíritas evocam os espíritos de além-túmulo.

Kardec leu todo o texto em busca de erros e não encontrou uma vírgula fora do lugar. Pela primeira vez, fez questão de escrever à direção de um jornal para agradecer.

Nem todos os leitores do jornal ficaram tão felizes assim. Muitos enviaram cartas à redação para protestar e checar se o *La Discussion* havia se transformado em tribuna do suspeito espiritismo.

A resposta da publicação soou como música, mais uma vez, para Kardec. Daquele dia em diante — afirmava a direção em editorial — o jornal destacaria especialistas para escrever sobre espiritismo, assim como o fazia com finanças, política, arte, ciência e literatura. E quem seriam estes especialistas?

> As questões do espiritismo serão tratadas por espíritas, como as de arquitetura por arquitetos, a fim de que não nos qualifiquem de cegos raciocinando sobre as cores e que não nos apliquem as palavras de Fígaro: "Precisavam de um calculista e tomaram um dançarino."

Se esta moda pegasse na França, a vida de Kardec seria bem mais leve.

Denúncias e confissões

Em Paris, os jornais *Événement*, *Opinion Nationale* e *Grand Journal* ainda repercutiam — e festejavam — o vexame dos irmãos Davenport, e davam destaque a novas revelações capazes de desmoralizar de vez o claudicante espiritismo.

O então célebre ator inglês Sothem — conhecido pela alcunha de Sticart em sessões espíritas onde atuava como médium de efeitos físicos — escrevera uma carta a um jornal de Glasgow em que dava detalhes sobre seus poderes mediúnicos. Era uma confissão.

Com a ajuda de um amigo americano bastante hábil, conseguira inebriar e iludir incautos por toda a América. Aparição de fantasmas, ruídos de instrumentos, a assinatura de Shakespeare em mensagens shakespearianas, toques de mãos invisíveis pelos cabelos de espectadores apavorados — tudo mentira! Ou melhor: tudo mágica aplicada com habilidade e destreza, com a cumplicidade de assistentes ocultos, sem qualquer participação de espíritos.

Kardec lia e relia as inúmeras reportagens sobre os falsos médiuns e reservava horas preciosas de seu tempo escasso a tentar separar o espiritismo destes farsantes. Uma tarefa difícil, por mais que repetisse seu mantra: a verdadeira doutrina — moral, filosófica — sairia ilesa das denúncias relacionadas a meros fenômenos.

> O espiritismo não pode ser responsável por indivíduos que indevidamente tomam a qualidade de médium, assim como a verdadeira ciência não é responsável pelos escamoteadores que se dizem físicos.

Para reconhecer os médiuns autênticos, bastaria adotar a receita do mestre: eles nunca tiravam qualquer proveito "direto ou indireto, ostensivo ou dissimulado" de seus dons. E, para evitar danos à imagem do espiritismo, bastava aos espíritas de verdade seguir as orientações básicas do codificador: respeitar os espíritos e jamais os explorar em exibições públicas; nunca usar a mediunidade como meio de adivinhação; e, no caso dos médiuns curadores, conduzir os tratamentos espirituais com o máximo de prudência, desinteresse e discernimento.

Estes cuidados ajudariam não só a preservar a idoneidade da doutrina como também a manter os espíritas longe dos bancos dos réus, sob a acusação de charlatanismo, má-fé e exploração da crendice alheia.

Era questão de fé, e de segurança.

Kardec vivia tenso e Amélie ficava, a cada dia, mais preocupada com a saúde do marido.

O ESPIRITISMO INDEPENDENTE

A pilha de cartas a responder sobre a mesa aumentava e Kardec era obrigado a dar prioridade às mensagens mais preocupantes. De dentro de um dos envelopes, saiu, em fevereiro de 1866, a notícia sobre o projeto de um grupo de adeptos da doutrina: o lançamento de uma publicação periódica intitulada *Journal du Spiritisme Indépendant*.

Independente de que ou de quem? — Kardec se perguntou, e logo encontrou a resposta:

> Espiritismo independente é o espiritismo liberto não só da tutela dos espíritos, mas de toda a direção ou supremacia pessoal, de toda a subordinaçao às instruções de um chefe, cuja opinião não pode fazer lei, desde que nao é infalível.

Só faltava o nome de Kardec no lugar da palavra "chefe".

Estava tudo muito claro. O *Journal du Spiritisme Indépendant* daria voz a um grupo de espíritas empenhado em se libertar da influência de mentores espirituais e da supervisao do mestre.

Nas reuniões promovidas por esses amotinados, já não se evocavam visitantes invisíveis.

O estudo da doutrina — das ciências, religiões e filosofias em geral — era conduzido pelos vivos e não pelos mortos. Cabia a eles chegar às próprias verdades, sem submissão a médiuns sempre falíveis, sujeitos a enganos e autoenganos, e a espíritos suspeitos e, muitas vezes, superficiais.

Kardec leu e releu a carta, repleta de críticas às "banalidades da moral" repetidas por espíritos incapazes de revelar novas verdades:

> Discutiremos entre nós, buscaremos e decidiremos, em nossa sabedoria, os princípios que devem ser aceitos ou rejeitados, sem recorrer ao assentimento dos espíritos.

Confrontado por tantos ataques, o mestre mergulhou a pena no tinteiro e escreveu, a jato, uma longa resposta aos dissidentes. A irritação e o cansaço marcaram vários parágrafos de sua carta:

> Algum dia nos fizemos passar por profeta ou messias? Levares a sério os títulos de sumo sacerdote, de soberano pontífice, mesmo de papa, com que a crítica houve por bem nos gratificar? (...)
>
> Se outros puderem fazer melhor do que nós não iremos contra porque jamais dissemos: "Fora de nós não há verdade." (...)
>
> Há instruções que nós damos? Sim. Mas ninguém é forçado a se submeter a elas. Devem lamentar-se de nossa censura? Jamais citamos pessoas, a não ser quando devemos elogiar, e nossas instruções são dadas sob forma geral, como desenvolvimento de nossos princípios, para uso de todos. (...)

Se pudesse — e se conviesse —, poderia tirar da gaveta a mensagem de cinco anos atrás sobre sua sucessão. Aquele texto em que o "autor espiritual" o definia como o escolhido e — mais — como o "único em evidência" na condução da doutrina. Mas o que significaria esta revelação para quem questionava o saber e o poder dos espíritos?

Kardec produziu sua resposta sempre no coletivo — como "nós" — e, mais uma vez, atribuiu aos espíritos a responsabilidade pela doutrina.

Mas que espíritos? — questionavam os insurgentes na carta-manifesto. Como garantir que Santo Agostinho, São Luís e outras sumidades fossem mesmo os autores das mensagens escritas nas sessões da Sociedade? Como afirmar, sem quaisquer dúvidas, que todos aqueles textos não fossem obras dos próprios médiuns?

Em sua mensagem aos editores do *Journal du Spiritisme Indépendant*, o autor de *O livro dos espíritos* não pediu para que os detratores explicassem como jovens simples como as irmãs Baudin foram capazes de pôr no papel textos elaborados, com informações inacessíveis a elas. Que duvidassem à vontade!

> Certamente não podemos saber, por uma prova material, se o espírito que se apresenta sob o nome de Pascal é realmente o do grande Pascal.

Às favas a preocupação com a autoria: "Que nos importa se diz boas coisas?"

E às favas também os deslizes ortográficos e gramaticais identificados em mensagens psicografadas assinadas por grandes nomes da filosofia e da ciência:

> Cabe-nos pesar o valor de suas instruções não pela forma da linguagem — que se sabe por vezes marcada pelo cunho da inferioridade do instrumento (o médium) —, mas pela grandeza e pela sabedoria dos pensamentos.

Em sua longa carta-resposta, Kardec afirmou que os espíritas rebelados podiam, sim, renegar sua liderança — ele nunca obrigara alguém a segui-lo —, mas seria um erro fatal renegar os espíritos. Um risco para a doutrina:

> As comunicações dos espíritos fundaram o espiritismo. Repeli-las depois de as haver aclamado é querer derrubar o espiritismo pela base, tirar-lhe o alicerce.

Se o espírita rejeitasse as mensagens dos espíritos, agiria como um cristão que desprezasse as lições de Cristo. sob o pretexto de que sua moral era idêntica à de Platão:

> Foram nessas comunicações que os espíritas encontraram alegria, consolo, esperança. É por elas que compreenderam a necessidade do bem, da resignação, da submissão à vontade da vida; graças a elas, já não há mais separação real entre eles (os vivos) e os objetos de suas mais ternas afeições (os entes queridos mortos).

Enquanto escrevia, Kardec se acalmava, mas a paz durou pouco. Meses depois, um desses dissidentes ganhou força e projeção com nome e sobrenome: J.-B. Roustaing.

Os quatro evangelhos

Em 1866, finalmente viriam a público os quatro longos volumes da obra assinada pelo advogado de Bordeaux Jean-Baptiste Roustaing: *Os quatro evangelhos*.

No prefácio, uma declaração de gratidão a Kardec por seu livro de estreia:

> Li *O livro dos espíritos*. Nas páginas desse volume encontrei uma moral pura, uma doutrina racional, em harmonia com o espírito e progresso dos tempos modernos, consoladora para a razão humana.

Como escreveu cinco anos antes em carta a Kardec, Roustaing descobrira um mundo novo nas páginas de *O livro dos espíritos*: a pluralidade dos mundos, a lei do renascimento — tudo passara a fazer sentido para ele.

Ou melhor: quase tudo. Porque, depois de reler a obra-prima do mestre e mergulhar na leitura de *O livro dos médiuns*, uma figura ainda o intrigava: Jesus Cristo. A "moral sublime" do filho de Deus estava traduzida com clareza e transparência nos textos de Kardec, mas quais seriam sua origem e natureza espirituais?

> (...) senti a impotência da razão humana para penetrar as trevas da letra e, desde então, a necessidade de uma revelação nova, de uma revelação da revelação.

Para surpresa de Kardec e de muitos de seus aliados, Roustaing transformou este trecho do prefácio em subtítulo para seu livro, *Os quatro evangelhos — revelação da revelação*, e passou a proclamar novas verdades com o aval de quatro colaboradores tão influentes quanto os coautores dos trabalhos de Kardec: os evangelistas Marcos, João, Mateus e Lucas.

O quarteto teria ditado a ele, através da médium belga Émilie Collignon, informações preciosas e ainda inéditas sobre o filho de Deus. Em poucas palavras: Jesus teria vindo à Terra em um "corpo fluídico" e não "em carne", e a gravidez de Maria teria acontecido apenas "em aparência". Outra notícia atribuída aos contemporâneos de Jesus: a reencarnação — necessidade para a evolução do homem, segundo Kardec — serviria também à punição de pecados, castigo divino, e não apenas ao ciclo evolutivo e virtuoso definido e defendido pelo mestre.

Entre as revelações da revelação, uma má notícia para os espíritas mais combativos, anunciada no terceiro tomo da obra de Roustaing, estudioso voraz da Bíblia: o futuro espiritual da humanidade estaria na "Igreja do Cristo" e nas mãos do papa, "cheio de humildade, com seu cajado de viajante".

Para os espíritas atentos a detalhes, o mais constrangedor era a participação de João Evangelista nestas revelações do além. Identificado como um dos colaboradores de Kardec em *O livro dos espíritos*, ele não poderia, ou deveria, avalizar informações tão conflitantes como as expostas em *Os quatro evangelhos*.

Na obra de Roustaing, o Deus misericordioso do espiritismo era colocado em xeque; a dor de Cristo em sua *via crucis* era reduzida a uma encenação (não teria sofrido "na carne" todos os castigos); e o ciclo fundamental do "nascer, morrer, renascer e progredir sem cessar" também saía arranhado.

Na edição de junho de 1866 da *Revista Espírita*, Kardec daria seu parecer sobre os quatro volumes publicados por Roustaing.

Com o cuidado de não mencionar o termo "revelação da revelação" nem de questionar os poderes da Igreja Católica, o codificador da doutrina espírita lançou dúvidas quanto à tese central de *Os quatro evangelhos*: a natureza "agênere", não corporal, de Cristo.

> Sem nos pronunciarmos pró ou contra essa teoria, diremos que ela é pelo menos hipotética, e que, se um dia fosse reconhecida errada, em falta de base, todo o edifício desabaria.

Duas linhas depois de declarar que não o faria, Kardec tomou uma posição contra:

> Sem prejulgar essa teoria, diremos que já foram feitas objeções sérias a ela e que, em nossa opinião, os fatos (sobre a morte e ressurreição de Cristo) podem ser perfeitamente explicados sem sair das condições da humanidade corporal.

O diretor da *Revista Espírita*, aliás, considerava a obra muito extensa:

> A nosso ver, limitando-se ao estritamente necessário, a obra poderia ter sido reduzida a dois, ou mesmo a um volume, e teria ganho em popularidade.

Conselho de um best-seller.

Nos bastidores, em conversas com Amélie e os colaboradores mais leais, Kardec foi menos polido. Roustaing cometera um erro grave: o de confiar todo seu texto a uma única médium e, o pior, a uma ilustre desconhecida, a julgar por esta frase de seu prefácio: "O trabalho iria ser feito por dois entes que, oito dias atrás, não se conheciam."

As mensagens atribuídas aos evangelistas não foram checadas com outros médiuns, e nenhum outro espírito — a não ser os dos círculos de

Émilie Collignon — fora "ouvido" até a publicação das 2 mil páginas. O método da "universalidade do ensino dos espíritos", defendido por Kardec, teria sido ignorado, e o resultado era aquele.

Kardec guardaria na gaveta, até sua morte, mensagens do além bastante diferentes das divulgadas pelo advogado de Bordeaux. Em uma delas, intitulada "Futuro do espiritismo", o autor espiritual não deixava dúvidas quanto ao poder e à responsabilidade do espiritismo:

> — Cabe-nos retificar os erros da história e depurar a religião do Cristo, transformada, nas mãos dos padres, em comércio e em vil tráfico. Instituirá o espiritismo a verdadeira religião, a religião natural, a que parte do coração e vai diretamente a Deus, sem dependência da obra da sotaina ou dos degraus do altar.

A mensagem terminava com um vaticínio nada condizente com *Os quatro evangelhos*: "A Igreja atira-se, por si mesma, ao precipício."

Atestados do além

Outra mensagem — esta, sim, divulgada por Kardec — tratava de um tema mais íntimo: sua saúde. Em 23 de abril de 1866, o médico homeopata Demeure voltou a se manifestar através de um dos médiuns da Sociedade Espírita, o sr. Desliens, para receitar repouso ao paciente estressado, saudado por ele como "meu caro mestre e amigo Allan Kardec":

> — Precisas de repouso, as forças humanas têm limites que o desejo de que o ensino progrida te leva muitas vezes a ultrapassar. Estás errado, porque, agindo assim, não apressarás a marcha da doutrina, mas arruinarás a tua saúde e te colocarás na impossibilidade material de concluir a tarefa que vieste desempenhar neste mundo.

Demeure não falava apenas como médico. Era porta-voz de uma equipe preocupada:

> — Sou aqui o delegado de todos os espíritos que tão poderosamente têm contribuído para a propagação da doutrina, mediante suas sábias instruções.

A nova prescriçao do além seria lida com alívio por Amélie, já cansada de pedir calma ao marido, enquanto ele sofria diante dos artigos a redigir, livros a escrever e críticas a rebater, entre viagens, visitas e palestras sem fim.

Aos 62 anos, Kardec queria acelerar o trabalho, lançar novos livros e fazer novas revelações antes que fosse tarde demais e seu tempo na Terra se esgotasse. Um engano, segundo o porta-voz dos espíritos:

> — De que serve correr? Não te dissemos muitas vezes que cada coisa virá a seu tempo e que os espíritos prepostos ao movimento das ideias sabem fazer que surjam circunstâncias favoráveis?

Uma das principais fontes de tensão de Kardec naquele momento se amontoava diante dele, sobre a escrivaninha: uma pilha de mais de quinhentas cartas ainda sem resposta. Demeure o tranquilizou:

> — A superabundância é um bem e não um inconveniente. (...) A imensa correspondência que recebeis é para vós uma fonte preciosa de documentos e de informações.

E o que fazer com tantas cartas? Nada. Arquivar. Os remetentes, informados agora da exaustão do destinatário, entenderiam.

Desta vez, Kardec publicou a mensagem do dr. Demeure na *Revista Espírita* e, respaldado pelo médico do além, pediu desculpas aos "correspondentes" pela falta de respostas. Os aliados teriam de se conformar.

Para não correr o risco de ser punido por "suicídio involuntário", Kardec rendeu-se ao descanso e, na noite de 24 de abril, foi surpreendido por um sonho misterioso.

Ao passar por uma rua desconhecida, deparou-se com um grupo de homens entretidos com uma conversa quase inaudível. No canto de uma parede, logo atrás, viu uma inscrição em letras miúdas, brilhantes como fogo, que se esforçou para decifrar: "Descobrimos que a borracha enrolada sob a roda faz uma légua em dez minutos pela estrada (...)."

A frase foi desaparecendo, pouco a pouco, antes de Kardec ter tempo de concluir a leitura. Ao acordar, ele trazia uma série de interrogações:

> — O que significaria aquela borracha capaz de fazer uma légua em dez minutos? Seria a revelação de alguma nova propriedade desta substância? Ela desempenharia algum papel na locomoção? Querem pôr-nos no caminho de nova descoberta? Mas por que, então, se dirigiram a mim, em vez de a especialistas, com tempo para realizar os estudos e experiências necessários?

As respostas viriam do além. Não através do sumido Espírito da Verdade, mas em nova mensagem assinada pelo médico Demeure:

> — O que vistes são encarnados que se ocupam, em diferentes partes do mundo, de invenções destinadas a aperfeiçoar os meios de locomoção. Uns têm pensado na borracha, outros em outras matérias. Mas o que existe de particular neste sonho é que quiseram chamar-vos a atenção, como objeto de estudo psicológico, para a reunião, num mesmo lugar, de espíritos de diferentes homens dedicados ao mesmo fim.

Estas reuniões de trabalho aconteceriam com frequência quando os homens deixavam seus corpos, durante o sono, para se encontrar, em espírito, em diferentes pontos do planeta. Ao despertarem depois destas longas confabulações sobre descobertas e invenções em comum, voltavam a desenvolver suas pesquisas, longe uns dos outros.

Kardec revelou seu sonho em reportagem na *Revista Espírita*.

Premonição?

Não. Para os adversários, mera ignorância. Em 1840, Charles Goodyear já descobrira o processo de vulcanização da borracha; cinco anos depois, os irmãos Michelin patentearam o pneu para automóvel; e, em 1847, Robert Thompson inserira, pela primeira vez, câmaras de ar em pneus de borracha maciça.

Revelação?

Sim, de acordo com os aliados. Afinal, só vinte anos depois deste sonho, a partir de 1888, o pneu passaria a ser fabricado em larga escala na Europa e nos Estados Unidos.

Nem mesmo em sonho Kardec estava livre de polêmicas.

E foi enquanto tentava descansar que leu um novo artigo assinado por um dos principais críticos do espiritismo, Bertram Bechamel, publicado no jornal *Office de Publicité*, de Bruxelas, em junho de 1866. O jornalista examinara o armário dos irmãos Davenport e assistira a uma de suas exibições no Círculo Artístico e Literário.

As mãos amarradas da dupla, os sons dos violões e pandeiros saídos de dentro do armário, tudo o entediara: "Preparativos demorados, ruído aborrecido, tudo pouco divertido. E nada de espírito, nem no singular nem no plural."

E foi com esta mesma melancolia que ele leu *O livro dos espíritos*:

> Seu estilo não vale o de Bossuet e, salvo as citações feitas das obras dos homens ilustres, o livro é pesado e, por vezes, comum.

Segundo o jornalista, haveria tanta presença de espíritos na obra de Kardec quanto no armário dos Davenport.

Nem o pseudônimo adotado pelo professor Rivail foi poupado de críticas. De acordo com o colunista, o autor de *O curso prático e teórico de aritmética* e outras obras didáticas "faria muito melhor" se usasse o nome de batismo.

Kardec reservou tempo para responder ao ataque público e, logo no início, demonstrou estar bem-informado sobre seu adversário:

> Permita-me perguntar-te por que assinas teus artigos como Bertram, em vez de Eugène Landois — o que nada depõe contra suas qualidades pessoais, pois sabemos que és o principal organizador da creche da Saint-Josse-Tennoode.

O que importava — apesar de todas as críticas — era a constatação de que, como gostava de repetir, o espiritismo estava no ar e, de vez em quando, arrebatava adversários ferrenhos como o sr. Bertram.

No jornal *Le Siècle*, por exemplo, o jornalista Louis Jourdan — aquele que, quatro anos antes, exigira respeito à sua falta de fé — assinou, no mesmo mês, uma carta de despedida ao filho que acabara de morrer:

> Eu te sinto vivo, de uma vida superior à minha, meu Prosper; e quando soar a minha última hora, eu me consolarei em deixar os que amamos juntos, pensando que vou encontrar-te e nos unirmos. (...)
>
> Percebemos um ponto luminoso, para o qual marchamos resolutamente; esse ponto é aquele onde vives, meu filho, junto a todos aqueles que amei aqui embaixo e que partiram antes de mim para a vida nova.

Transtornado pela dor, Jourdan preferia lutar pelo direito de crer.

A necessidade do impossível

Para Kardec, 1867 começava em clima de balanço de vida e de movimento. Uma década já se passara desde o lançamento de *O livro dos espíritos*, e a *Revista Espírita* estava prestes a completar dez anos de publicação, mês a mês, sem pausas e sem trégua. Uma tribuna permanente e uma linha direta de comunicação com aliados e adversários espalhados por todo o canto.

Sob o título "Olhar retrospectivo", Kardec enviou, através da revista, em janeiro, uma mensagem aos antagonistas, que encaravam o espiritismo como um "fogo de palha". Fogo de palha que já durava quase quinze anos, desde a primeira noite em que o professor Rivail vira com os próprios olhos o giro da mesa e o movimento do cesto na casa da sra. Plainemaison:

> A força de ação do espiritismo é atestada por sua persistente expansão. E há um fato constante neste avanço: é que os adversários do espiritismo consumiram mil vezes mais força para o abater, sem o conseguir, do que seus partidários para o propagar.

Aos aliados, reafirmou a orientação de deixar os fenômenos para trás e se dedicar à caridade: "Diante do bem, a própria incredulidade trocista se rende, e a calúnia não pode sujar o que está sem mancha."

No entanto, o estrago provocado por embusteiros como os Davenport já estava feito e continuaria a repercutir nos jornais da época.

No *France*, em fevereiro, o colunista se espantava com a "inexplicável necessidade do impossível" demonstrada pelos espíritas:

> Mostra-se-lhes o truque das mesas girantes e eles creem; desvendam-se-lhes as imposturas do armário Davenport, e creem mais ainda; exibem-se-lhes todos os cordões, fazem-nos tocar a mentira com o dedo, furam-lhes os olhos pela evidência do charlatanismo e sua crença se torna mais encarniçada!

Kardec recortava textos como estes e se indignava com descrições como as publicadas pelo jornal *Messenger Franco-American*, de Nova York, em março. Em reportagem sobre uma convenção de adeptos do espiritismo, o jornalista identificara em todos os homens e mulheres reunidos no evento a mesma aparência: um "aspecto do outro mundo".

> A palidez da pele, o emaciado do rosto, o profético devaneio dos olhos, perdidos num vago oceânico, tais são, em geral, os sinais exteriores do espírita.

O tom da matéria intitulada "Sempre os espíritas", no *Événement*, era o mesmo. O jornalista Jules Claretie garantia: quem fosse a qualquer reunião de espíritas — "numa noite de desocupação e curiosidade" — encontraria "figuras bizarras, com gestos de energúmenos":

> Comprimem-se, curvam-se sobre as mesas onde os médiuns, com os olhos no teto, lápis na mão, escrevem suas elucubrações.

Claretie se surpreendera com a "promiscuidade de classes e idades" num dos salões lotados por "velhas de olhos ávidos e jovens fatigados". Lado a lado, porteiros da vizinhança e grandes damas do bairro, alfaiates e laureados do Instituto, todos unidos para ouvir as mensagens do além... E que mensagens!

> Ouvi Cervantes lamentar a demolição do teatro dos Dellassements-Comiques, e Lamennais contar que Jean Journet lá era seu amigo íntimo. A maior parte do tempo Lamennais cometia erros de ortografia e Cervantes não sabia uma palavra de espanhol.

O pior, para o jornalista, era que o espiritismo conquistava cada vez mais adeptos entre ex-céticos e ex-católicos:

> O número dos loucos aumenta! O delírio é como uma onda que sobe. Então que luz há que ser achada para destruir essas trevas já que a eletricidade não basta?

Claretie talvez se rebelasse contra o conteúdo de mensagens postas no papel, na sede da Sociedade de Paris, em determinadas sessões. Frases soltas, pensamentos às vezes um tanto frouxos, assinados por figuras notáveis e por ilustres desconhecidos.

Napoleão:

> — A guerra é um duelo que só cessará quando os combatentes tiverem forças iguais.

Newton:

> — A ciência é o progresso da inteligência.

Balzac:

> — A encarnação é o sono da alma; as peripécias da vida são os seus sonhos.

O doutor acaso

Menos ilustre e bem mais íntimo de todos os frequentadores da Sociedade Espírita, um visitante invisível também mandou notícias em sessão pública naquele ano: o ex-associado Charles-Julien Leclerc, vítima de um infarto, a caminho do teatro, em 2 de dezembro de 1866.

Kardec fizera o discurso de despedida ao amigo, na beira do túmulo e, mais uma vez, aproveitara a ocasião para reafirmar a fé na sobrevivência do espírito. Morte? Não. Vida nova:

> — Fostes unir-vos aos colegas que vos precederam e que, sem dúvida, vieram receber-vos no sólio da nova vida; mas essa vida, com a qual vos identificastes, não vos deve ter causado nenhuma surpresa; nela entrastes como num país conhecido, e não duvidamos de que aí gozeis da felicidade reservada aos homens de bem, aos que praticaram as leis do Senhor.

Sessenta dias depois do enterro, Leclerc ressurgiu pelas mãos do médium Desliens e desmentiu as previsões de uma "vida nova sem surpresas".

— Oh! Fiquei surpreso com este fim inesperado! Eu não temia a morte e, de muito tempo, a considerava como o fim da provação; mas essa morte tão imprevista não deixou de me causar um profundo choque! Que golpe para minha pobre mulher! (...)

E para quem acreditava ser fácil morrer.

Kardec dividia com seus leitores as mensagens do além e garimpava também, com a ajuda de colaboradores, prodígios que, segundo ele, comprovariam a vida depois da morte e a "pluralidade de existências"

Um destes prodígios se chamava Eugénie Colombe e conquistava a admiração dos moradores de Toulon por sua capacidade de ler e escrever e de responder às mais diversas questões de gramática, história, geografia e aritmética — tudo aos 2 anos e 11 meses de idade.

Os nomes dos cinco continentes, as capitais de todos os países da Europa, a história sagrada desde a criação do mundo até o dilúvio, os nomes e sobrenomes quilométricos dos oito primeiros reis da França. Era só perguntar e ela respondia, enquanto brincava com suas bonecas e encantava o distinto público com o brilho de seus olhos azuis.

Eugénie era filha de professora e acompanhava muitas lições dadas por sua mãe em casa. Para Kardec, porém, não havia dúvidas. A precocidade intelectual revelaria um "conhecimento inato", herança de vidas anteriores.

Outro prodígio que merecia sua admiração — e também seu aval — já era uma celebridade em Londres: Tom, o cego. Este era seu nome artístico. Negro, analfabeto, filho de escravos e cego de nascença, Tom surpreendera os patrões ao correr para o piano, num dia de chuva, e repetir, nota por nota, sem qualquer deslize, a sonata tocada pouco antes por uma das filhas do dono da casa.

Dias depois, repetiu o feito ao dedilhar uma peça de Haendel, e chocou a plateia ao revelar o que ninguém via na sala enquanto seus dedos deslizavam sobre o teclado:

— Eu o vejo, é um velho com uma peruca. Ele tocou primeiro e eu depois.

Kardec colecionava histórias como estas e identificava também, nos romances mais populares da época, a fé no mundo dos espíritos. Nem o livro *Robinson Crusoé* — lançado por Daniel Defoe, em 1719 — escapou de seu escrutínio. Com o lápis à mão, ele sublinhou diversas "passagens espíritas", que fez questão de recitar para Amélie.

Com a palavra, Robinson Crusoé:

> Por vezes um *impulso secreto* nos leva de repente, num momento de grave incerteza, a tomar tal caminho em vez de outro, que nos teria conduzido ao perigo.

Para Kardec, este "impulso secreto" só poderia vir do invisível, e outro trecho da obra de Defoe apontava nesta direção:

> Nunca é demasiado tarde para ser prudente e aconselho a todos os homens (...) a jamais negligenciarem esses avisos íntimos da providência, seja qual for a *inteligência invisível* que nô-los transmite.

Ao descrever revelações de um de seus sonhos, Robinson Crusoé foi ainda mais longe:

> Como tais fatos me foram revelados? Por que secreta comunicação dos espíritos invisíveis me tinham eles trazido estas informações? É o que não posso explicar.

Kardec fichou todo o livro e recomendou sua leitura — ou releitura — a todos os companheiros de doutrina.

Outra leitura indicada com entusiasmo por ele foi a de um artigo recém-publicado no jornal *Le Siècle* pelo jovem astrônomo Camille Flammarion, então funcionário do Observatório de Paris. No longo texto, Flammarion descrevia o diálogo entre dois homens — Sitiens, vivo, e Lumen, morto — e colocava na boca do "saudoso finado" declarações endossadas por Kardec: "Não há morte. (...) Nascemos para a vida futura como nascemos para a vida terrena."

Do "lado de lá", livre das limitações do corpo físico, Lumen celebrava os superpoderes adquiridos com a morte: "A visão da minha alma tem um poder incomparavelmente superior ao dos olhos do organismo terrestre."

"Olhos bem abertos", aliás, era o título de uma crônica policial publicada, em fevereiro de 1867, também no jornal *Le Siècle*, sobre um dos médiuns curadores de Paris.

Duas senhoras de Saint-Germain foram à polícia denunciar um ex-cozinheiro que abrira um consultório médico muito concorrido na rua Saint-Placide. Os tratamentos eram bastante suspeitos, segundo as denunciantes: sem nunca receitar medicamentos, apalpava os pacientes à procura da doença, e, ao identificar a sede da enfermidade, aplicava sobre o local as mãos em cruz, enquanto evocava um espírito invisível capaz de extirpar o mal.

Os pacientes retribuíam com donativos em dinheiro, alguns bastante generosos.

Ao vasculhar a casa, os policiais encontraram um testamento assinado por uma velha senhora, proprietária de terras nas proximidades de Fontainebleau, com uma doação de 40 mil francos ao "médium curador".

"Certamente ele é um louco" — decretou o jornalista, antes de se lançar a uma contradição:

> Mas o que há de extraordinário, de inexplicável, é que provou, como o constata o inquérito, que, por este processo singular, curou mais de quarenta pessoas afetadas por doenças graves.

Kardec evitou tomar partido contra ou a favor do suposto médium, agora recolhido à prisão, mas alertou os companheiros da Sociedade e os leitores da *Revista Espírita* para o risco de se condenar alguém por preconceito ou ignorância: "O inquérito constata as curas, mas, por elas serem realizadas por 'meios inexplicáveis', acusa o réu de louco."

De acordo com esta tese, Cristo — que curava sem diploma e sem remédios — também deveria ser visto como louco, escreveu Kardec, antes de recorrer à ironia: "Muita gente prefere ser curada por um louco do que ser enterrada por um homem de bom senso."

Por trás destas curas misteriosas, estava em jogo uma polêmica mais grave: o exercício ilegal da medicina. A cura pelo magnetismo, pela água magnetizada, pela imposição das mãos, pela prece, "com o concurso dos espíritos", deveria ser punida com multas e prisões?

Crime, de acordo com Kardec, seria o "curador" não diplomado receitar remédios. E o desinteresse financeiro notório — consultas e tratamentos feitos de graça — deveria pesar como atenuante nos processos judiciais.

E como explicar as tais quarenta curas atribuídas ao ex-cozinheiro, por exemplo? Para os céticos, a resposta era simples: o próprio doente se curou. Possibilidade rechaçada por Kardec em mais uma declaração irônica:

> Dirão que é o acaso; o doente foi curado por si só. Seja! Mas então o médico que o declarou incurável dava prova de grande ignorância. E depois, se há vinte, quarenta, cem curas semelhantes, é sempre o acaso? Melhor, então, dar-se a ele o título de Doutor Acaso.

Chuva de pedras

No dia 20 de maio de 1867, o *Le Journal de Chartres* deu destaque a outra notícia nada animadora para os espíritas. Um pedreiro da cidade de Illiers fora cercado por uma multidão — estimada em sessenta ou oitenta pessoas — que, à luz de lampiões, berrava:

— Feiticeiro! Cachorro louco! Maldito Grezelle!

O pedreiro, Grezelle, precisou se refugiar nos fundos de uma mercearia para não ser soterrado pela chuva de pedras lançadas em sua direção. Os moradores da cidade estavam indignados com as sessões que ele conduzia, todas as sextas-feiras, em Sorcellerie, às portas de Illiers.

Nestas reuniões espíritas semanais — afirmava o jornal —, ele evocava almas de outro mundo e revelava em público informações nada lisonjeiras sobre certas famílias. Este disse me disse atribuído ao além quase levara uma das senhoras locais ao suicídio.

O desespero da mulher começou quando Grezelle — definido pelo jornalista, com ironia, como "pontífice" do centro — anunciou a punição que lhe seria destinada pelas faltas cometidas até então: o purgatório. A condenada ouviu o veredito na sexta e, já no sábado, despediu-se dos parentes e vizinhos para a viagem sem volta.

Estava à beira do rio, pronta para se lançar às correntezas, quando foi contida pela família. Este caso teria gerado toda aquela mobilização.

O artigo terminava com uma manifestação de apoio aos "manifestantes indignados" de Illiers: "Eles saberão como liquidar com esta coisa. (...) Há dessas coisas que morrem, espancadas pelo ridículo."

Dias depois, chegaria à redação do jornal uma longa carta assinada pelo pedreiro. Ele confirmava os ataques e ia além: já fora vítima de outras perseguições na cidade:

> Duas vezes quase morri a pedradas e cacetadas e, ainda hoje, se voltasse à cidade, seria cercado, ameaçado, maltratado. Além das pedras que chovem, enchem o ar de injúrias: louco, feiticeiro, espírita, tais são as doçuras mais ordinárias com que me regalam.

Segundo o pedreiro, pai de dois filhos, o jornal acertou ao mencionar a violência, mas errou ao dar crédito à história da mulher. Segundo Grezelle, a má reputação da denunciante, "uma revendedora", atormentada pelo alcoolismo, era conhecida de todos, e ela jamais botara os pés numa sessão conduzida por ele ou por qualquer liderança espírita: "Seus instintos a levam em direção contrária."

Por que então ele seria tão perseguido? Era o que se perguntava o "pedreiro-pontífice" na carta enviada ao jornal, pouco antes de arriscar uma resposta: só podia ser vítima de discriminação e de um movimento orquestrado de perseguição religiosa. Estava pronto a responder a quaisquer acusações de má-fé na justiça, mas tinha, sim, uma confissão a fazer:

> Quanto a ser espírita, não o escondo. É verdade: sou espírita. Meus dois filhos, jovens ativos, corretos e florescentes, são ambos médiuns. Um e outro gostam do espiritismo e, como seu pai, creem, oram, trabalham, melhoram-se e procuram elevar-se. Mas que mal há nisto?
>
> Quando a cólera me diz que me vingue, o espiritismo me contém e me diz: "Todos os homens são irmãos; faze o bem aos que te fazem o mal." E eu me sinto mais calmo e mais forte.

Kardec leu a matéria do jornal e a carta do pedreiro, e pediu para um amigo, o sr. Quomes d'Arras, morador da região, checar a situação. As notícias o tranquilizariam.

O pedreiro, de 45 anos, era um trabalhador respeitado e se convertera ao espiritismo havia três anos. Mesmo diante dos visitantes mais céticos — e mais católicos —, falava com entusiasmo de sua religião e defendia sem temor, e com veemência talvez acima do recomendável, a fé na vida depois da morte e na influência dos espíritos.

O sr. Quomes D'Arras visitou o pedreiro em La Certellerie, a 5 quilômetros de Illiers, ouviu seus desabafos e aceitou o convite para participar de uma reunião espírita em sua casa. Vinte pessoas — entre as quais o prefeito — acompanharam a sessão, iniciada com preces retiradas de *O evangelho segundo o espiritismo*.

Ao longo da noite, o pedreiro e seus dois filhos atuaram como médiuns escreventes, e a empregada da casa também deu voz a mensagens do além. Nada muito revelador nem preocupante, segundo a carta do sr. Quomes D'Arras:

> As comunicações em geral são fracas no estilo, as ideias aí são diluídas e sem encandeamento. Mas tudo somado nada há de mau ou de perigoso e tudo quanto se obtém nas mensagens edifica, encoraja, fortalece, leva o espírito ao bem ou o eleva a Deus.

Como fiscal do movimento, Kardec se tranquilizou com as notícias e, munido das novas informações, escreveu um artigo para protestar contra os "atos selvagens" de Illiers.

No texto, publicado na *Revista Espírita* de julho de 1867, ele recomendou coragem e prudência aos aliados. Era preciso tomar cuidado para não fornecer armas — ou pedras — aos adversários.

O feiticeiro de Cauderon

Mas a temperatura subia nos arredores... E, no centro de nova polêmica, surgiu outro "médium curador", batizado pela imprensa de "Feiticeiro de Cauderon", referência a um subúrbio de Bordeaux. Simonet era o nome dele e a marcenaria, sua ocupação no Château du Bel-Air, imponente construção destinada a bailes, banquetes e noites de núpcias.

Simonet cuidava da manutenção do *château* e da preparação dos ambientes para as cerimônias, mas impressionava os colegas por outro dom: o de curar. Bastava um operário se ferir ou manifestar qualquer sintoma de doença para ele entrar em cena com sucesso admirável.

Em pouco tempo, doentes de bairros vizinhos — e até de cidades próximas — passaram a fazer fila na porta do castelo em busca de socorro. Quando a média de forasteiros diários se aproximou de mil pessoas, os proprietários do Château du Bel-Air, os Barbier, decidiram mudar de ramo. Ofereceram morada e alimentação ao marceneiro no palácio, e passaram, então, a distribuir senhas com números de ordem por chegada aos visitantes.

Seria uma boa ideia se as senhas fossem distribuídas de graça. Não eram. Os dez cêntimos iniciais logo dobraram e um mercado paralelo de tráfico de senhas ganhou força. Os melhores lugares na fila passaram a ser negociados por até vinte vezes o valor original. Em pouco tempo, um denunciante indignado chamou a polícia e o caso parou no tribunal.

No inquérito, o marceneiro Simonet foi citado apenas como testemunha da exploração organizada pelos Barbier, sem licença para atuar num mercado como aquele, mas não se livrou das suspeitas de prática ilegal da medicina levantadas pelo procurador imperial:

> — Onde aprendestes a medicina, se sois um simples marceneiro?
>
> — Em Allan Kardec...
>
> — Que instrumentos e remédios usais para promover estas pretensas curas?
>
> — Com todo o respeito, senhor, pareceis não conhecer a ciência do espiritismo; e eu vos aconselho mesmo a estudá-la.

O procurador reagiu ao conselho com uma acusação: a de que o marceneiro abusava da credulidade pública. Uma prova deste abuso seria o cego, conhecido por todos, que não passara a enxergar um milímetro sequer depois de submetido aos passes curadores de Simonet.

O "Feiticeiro de Cauderon" não se intimidou e, como bom discípulo de Kardec, estudioso de obras como *O livro dos espíritos* e *O livro dos médiuns*, explicou: a cura nem sempre era possível, e o poder sobre ela não pertencia a ele, mas sim a Deus. Questões como "merecimento" do doente estariam em jogo nestas relações invisíveis entre paciente e médium.

Um fato, porém, era inegável, e o acusador não poderia desmenti-lo: quando a polícia chegou, mais de 1.500 pessoas esperavam a vez de entrar no *château*.

> — Infelizmente, isto é verdade.

O promotor admitia, mas ameaçava:

— Se isto continuar, tomaremos uma das duas medidas: ou vos condenaremos aqui por má-fé, ou o acusaremos de loucura e tomaremos uma medida administrativa contra vós. É preciso proteger as pessoas honestas da própria credulidade.

Dias depois, Simonet interromperia as sessões, para alívio dos médicos locais e desalento dos doentes sem rumo.

O marceneiro se retirava, o pedreiro era apedrejado, e a condessa de Clérambert — conhecida também pelo dom de realizar curas milagrosas — desembarcava na sede da Sociedade de Paris, em setembro de 1867, para dar seu testemunho.

Durante vinte anos, ela abrira as portas de seu palácio em Saint-Symphorien-sur-Coise a doentes "incuráveis" abandonados pelos médicos. Neste período, perdeu a conta de quantas vidas salvou e de quantos casos graves de epilepsia e infecções agudas conseguiu reverter.

Sim, estudara medicina durante toda a juventude e se mantinha atualizada, através dos livros, sobre os avanços médicos em marcha. Mas, segundo diziam os pacientes, não era só o conhecimento técnico que a movia. Uma intuição poderosa conduzia seus diagnósticos e tratamentos.

Na maioria das vezes, a própria condessa preparava os medicamentos, com ervas especiais, sem revelar a fonte das receitas. Kardec não tinha dúvidas: era uma médium inconsciente e fazia parte da categoria de médiuns médicos.

Três anos depois de sua morte, a condessa estava pronta a revelar seus segredos através do médium Desliens. O próprio Kardec conduziu a evocação e a conversa com a visitante do além, em sessão testemunhada com atenção especial por Amélie, admiradora da condessa.

Suspeitas confirmadas. A julgar pelo depoimento póstumo, a condessa, muito católica, teve apoio constante de um "ser oculto que se dizia espírito" no atendimento dos doentes. E foi ele quem exigiu de sua discípula dois cuidados: silêncio sobre sua presença e desinteresse material.

Kardec avalizou o testemunho e usou a *Revista Espírita* de outubro de 1867 para prevenir e advertir os "médiuns curadores":

> A faculdade do médium curador nada lhe custou; não lhe exigiu estudo, nem trabalho, nem despesas; recebeu-a gratuitamente, para o bem dos outros, e deve usá-la gratuitamente.

Ele não se cansava de aconselhar, advertir, prevenir, mas não conseguia evitar novas e novas denúncias e polêmicas.

Cada vez mais exausto e abatido, Kardec ia em frente, estimulado — e aconselhado — por mensagens do invisível que guardava na gaveta.

Uma delas chegou no fim de 1867 pelas mãos do médium Didier. Kardec deveria reduzir a correspondência com os leitores e a publicação de artigos na *Revista Espírita* para concluir o próximo livro e publicá-lo "sem demora". A mensagem, novamente assinada pelo preocupado médico Demeure, dava pistas sobre o pedido de urgência.

Um dos principais riscos para o término da obra seria a saúde de Kardec. Seu tempo se esgotava, e nenhum médium curador ou médico médium poderia reverter esta contagem regressiva.

A GÊNESE

Em janeiro de 1868, começaram a circular pelas principais livrarias da França os exemplares da nova obra assinada por Allan Kardec.

Mais uma vez, o professor fez questão de ser o mais didático possível na apresentação de seu livro: *A gênese — ou os milagres e as predições segundo o espiritismo.* O longo subtítulo estampado na capa resumia, em algumas linhas, os conceitos-chaves do texto: "A doutrina espírita é o resultado do ensino coletivo e concordante dos espíritos. A ciência é chamada a constituir a gênese segundo as leis da natureza. Deus prova sua grandeza e seu poder pela imutabilidade de suas leis, e não pela suspensão. Para Deus, o passado e o futuro são o presente."

A Gênese soava, em muitos trechos, como um resumo das ideias centrais de suas obras anteriores, uma repetição de conceitos já tantas vezes dissecados e defendidos.

O velho professor Rivail — estudioso da química e da biologia — irrompia, de vez em quando, em lições básicas como esta:

> Dois elementos, ou se quiserem, duas forças regem o universo: o elemento espiritual e o elemento material. Da ação simultânea desses dois princípios nascem fenômenos especiais, que se tornam naturalmente

inexplicáveis, se não levarmos em conta um deles, exatamente como a formação da água seria inexplicável se desprezássemos um de seus dois elementos constituintes: o oxigênio e o hidrogênio.

Kardec ficava indignado quando alguém se referia às manifestações dos espíritos como fenômenos sobrenaturais. Onde os materialistas apontavam fraude ou ilusão, identificava ciência e filosofia:

> Ao nos revelar o mundo invisível que nos cerca, no meio do qual vivíamos sem disso suspeitar, assim como as leis que o regem, suas relações com o mundo visível, a natureza e o estado dos seres que o habitam e, por conseguinte, o destino do homem após a morte, [o espiritismo] é uma verdadeira revelação na acepção científica da palavra.

Pelo espiritismo, finalmente, o homem soube de onde veio, para onde vai, por que está na Terra e por que é submetido a tantas provas e dores.

Neste livro — o último que publicaria —, Kardec listava, com concisão e espírito didático, as revelações básicas da doutrina:

> A alma progride incessantemente, através de uma série de existências sucessivas, até que tenha atingido o grau de perfeição que pode aproximá-la de Deus. (...)

Sobre a gênese de todos nós, outras informações sucintas, capazes de atenuar — e até justificar — o peso de sofrimentos ou injustiças brutais:

> Todas as almas nascem iguais, com aptidão para progredir em virtude do seu livre-arbítrio. Todas as almas são da mesma natureza e só há entre elas a diferença do progresso realizado.

Por esta lógica, colhemos o que plantamos, movidos por nosso livre-arbítrio, de acordo com as leis de causa e efeito, ação e reação:

> Como depende de cada um o seu aperfeiçoamento, cada um pode, em virtude do seu livre-arbítrio, prolongar ou abreviar seus sofrimentos, como o doente que sofre pelos seus excessos enquanto não para de praticá-los.

Em outros capítulos do livro, sinais da exaustão de Kardec e de uma certa nostalgia dos tempos de Rivail. No capítulo IX, por exemplo, uma aula de geografia, com parágrafos disponíveis em qualquer livro dedicado ao estudo dos fenômenos geológicos provocados pelo fogo e pela água na trajetória do globo terrestre.

Kardec precisava descansar, mas não descansava. Novos adversários, como o abade Poussin, continuariam a incomodar.

Obra de Satã

Ano de 1868: onze longos e turbulentos anos já se tinham passado desde o lançamento de *O livro dos espíritos*, em 1857, mas o abade Poussin, professor no seminário de Nice, ainda definia a doutrina como "obra de satã" em livro recém-publicado: *O espiritismo ante a história e a Igreja — sua origem, sua natureza, sua certeza, seus perigos.*

Kardec leu e fichou a obra, e se surpreendeu ao ver o pároco reconhecer o poder da doutrina satânica:

> O espiritismo, é preciso reconhecê-lo, envolve como numa imensa teia, e por seus profetas, por seus oráculos, por seus livros e por seu jornalismo, esforça-se por minar surdamente a Igreja Católica.

Outra afirmação surpreendente atribuía ao espiritismo uma espécie de parceria com a Igreja Católica na guerra contra a descrença:

> Se o espiritismo nos prestou o serviço de derrubar as teorias materialistas do século XVIII, dá-nos em troca uma revelação nova, que ameaça pela base todo o edifício da revelação cristã.

O padre demonstrava preocupação com a "força da ignorância e da fascinação que excita a curiosidade", e levava os católicos a "brincar diariamente com o espiritismo, sem se preocupar em nada com os seus perigos!".

Era preciso, sim, tomar cuidado e manter distância das manifestações diabólicas provocadas por atos desatinados como o de "interrogar mesas".

Kardec reagiu ao livro com um artigo publicado na edição de março da *Revista Espírita*, em que aconselhava o pároco e seus leitores a lembrar as palavras do monsenhor Frayssinous nas suas conferências sobre religião:

> Um demônio que procurasse destruir o reino do vício para estabelecer o da virtude seria um demônio esquisito, porque se destruiria a si próprio.

Quem, depois da morte de Kardec, estaria a postos para responder a ataques como este e para pedir paz e bom senso aos adversários?

Em 1868, Kardec começou a tirar da gaveta e a tornar públicas algumas mensagens até então confidenciais, assinadas por "reveladores" célebres, através de diversos médiuns da Sociedade de Paris e de outras associações espíritas.

Em texto psicografado em 1861, São José anunciava a chegada de um novo messias à Terra e celebrava o espiritismo:

> — Já vos foi dito que um dia todas as religiões confundir-se-ão numa mesma crença. Glória ao espiritismo que o precede (a chegada do messias) e que vem esclarecer todas as coisas!

O escritor católico François Fénelon — cuja obra-prima, *Telêmaco*, o professor Rivail vertera para o alemão — também se manifestara, no mesmo ano, para abrir os olhos de Kardec e seus adeptos:

> — A corrupção no seio das religiões é o sintoma de sua decadência (...) porque ela é o índice de uma falta de fé verdadeira.

Erasto pedira a palavra para proclamar, mais uma vez, a importância da solidariedade:

> — Nela se encontra essa máxima sublime: "Um por todos e todos por um." Eis, meus filhos, a verdadeira lei do espiritismo, a verdadeira conquista de um futuro próximo. Marchai!

Os espíritas marcharam nos últimos anos, céticos e católicos se converteram à nova religião, mas os ataques da Igreja persistiam e situações constrangedoras — de seis ou sete anos atrás — voltavam a acontecer, para indignação de Kardec.

Num vilarejo vizinho de Lyon, o pároco da cidade bateu à porta de uma ovelha desgarrada ao descobrir que ela andava ocupada com a leitura de *O livro dos espíritos*. Aos berros, como se discursasse num púlpito para a multidão de fiéis, ameaçou a velha senhora de não enterrá-la quando sua hora chegasse e exigiu a entrega do livro satânico.

Depois de se recuperar do susto, a leitora bateria à porta do pároco para pedir o livro de volta. O exemplar lhe pertencia — argumentou — e seria difícil e injusto ter de comprar outro. Contrariado, o padre devolveu o volume à dona. Ou melhor, o que restava dele, agora repleto de rasuras, anotações furibundas e refutações de todo o tipo.

Ao lado do nome de cada espírito "santo" identificado como fonte das revelações, o padre escreveu um insulto: mentiroso, demônio, estúpido, herege.

A própria senhora narraria o drama a Kardec, através de carta, e se proclamaria mais espírita do que nunca depois de ouvir tantos impropérios: "Perdoai-lhe, Senhor, porque ele não sabe o que fez. De que lado estava o verdadeiro cristianismo?"

Kardec então se lembrou do pároco que, anos antes, convocara a população a entregar todas as obras espíritas que tinha em casa para que, juntos, numa bela celebração cristã, alimentassem uma imensa fogueira na praça pública. Ficou sem combustível para o fogo.

A visita do cura Bizet

Em maio de 1868, Kardec abriu as portas da Sociedade a um visitante de batina: o cura de Sétif, Bizet, morto um mês antes, aos 43 anos, vítima de cólera. O recém-chegado estava pronto a dar seu testemunho do além pelas mãos de um dos médiuns presentes.

À frente de sua paróquia, Bizet sempre evitara atacar o espiritismo, mesmo sob ordens do bispo de Argel, monsenhor Pavie, que definia a doutrina como "esta nova vergonha da Argélia". Em vez de combater as ideias e os valores difundidos por Kardec, e adotados também por muitos de seus fiéis, Bizet se dedicava, nas horas vagas, a distribuir alimentos e cobertores a vítimas da fome e do frio em sua região. Foi numa dessas campanhas que contraiu a doença.

Logo após a chegada do visitante invisível, Kardec foi direto ao assunto:

> — Eras espírita em vida?

Quem esperava uma confissão de fé, ou de conversão, decepcionou-se ao ler a mensagem psicografada:

— Se entendeis por esta palavra aceitar todas as crenças que vossa doutrina preconiza, não.

Mas o cura Bizet se recusava a alimentar a intolerância e encarava com pragmatismo a nova religião:

— É preferível ter uma crença que leva à caridade e à prática do bem, do que não a ter absolutamente.

Antes de se despedir, o pároco retomaria a pergunta inicial e escaparia pela sacristia:

— Era eu espírita de fato? Não me cabe pronunciar-me a respeito.

Uma felicidade

Os jornalistas do *La Solidarité* foram mais assertivos ao tomar a defesa de Kardec, apesar de não se proclamarem espíritas. Em artigo publicado também em maio, o jornal definiu como "uma felicidade" o fato de o espiritismo ter encontrado "um chefe" como o sr. Allan Kardec, capaz de mantê-lo "nos limites do racionalismo":

> Teria sido muito fácil, com toda essa mistura de fenômenos reais e de criações puramente ilusórias, deixar-se arrastar pela atração do milagre e pela ressurreição de velhas superstições!

Kardec, segundo a publicação, livrara a doutrina deste risco ao investir em "sínteses e processos de pesquisa científicos e racionais".

Ele agradeceu, e não resistiu a publicar o artigo elogioso em sua revista. Que seus sucessores — fossem quem fossem — tentassem manter a doutrina nos trilhos da razão e da prudência. Porque os ataques se sucediam e continuavam a vir de todos os lados.

Até mesmo do plenário do Senado francês, de onde o comissário do governo, Genteur, convocou os correligionários a se prevenirem contra os avanços de um novo partido: o Partido Espírita, cada vez mais influente entre os adversários do Império.

Os adeptos deste grupo organizado estariam à frente, ou melhor, por trás da petição de Saint-Étienne, encaminhada pelo Senado ao governo, com denúncias contra as tendências materialistas da Escola de Medicina e as influências negativas da biblioteca da Comuna.

Em pouco tempo, o discurso do senador ecoou pelos principais jornais da França, e Kardec teve de proclamar, mais uma vez, o caráter pacífico da "doutrina filosófica moralizadora", que em momento nenhum se organizara como um partido de qualquer espécie:

> O espiritismo é uma ideia que se infiltra sem ruído e, se encontra numerosos adeptos, é porque agrada. Jamais fez reclames nem quaisquer exibições; forte pelas leis naturais, nas quais se apoia, vendo-se crescer sem esforços nem abalos, não vai enfrentar ninguém, não vai violar nenhuma consciência. Diz o que é e espera que a ele venham!

No conceituado *Le Siècle*, o espiritismo mereceu um capítulo especial na série intitulada "Toda Paris". Depois da "Paris artista" e da "Paris gastronômica", entrava em cena a "Paris sonâmbula", retratada em artigo assinado por Eugène Bonnemère, autor do *Romance do futuro.*

Para ele, a "mais elevada" forma de sonambulismo seria o espiritismo, que "aspira a passar ao estado de ciência". Kardec arquivou o artigo e aprovou as definições feitas pelo escritor:

> Espiritismo é a correspondência das almas entre si. Segundo os adeptos dessa crença, um ser invisível se põe em comunicação com um outro, chamado médium, que goza de uma organização particular, que o torna apto a receber o pensamento dos que viveram e que o escreve, quer por um impulso mecânico inconsciente, imprimindo à mão, quer por uma transmissão direta à inteligência dos médiuns.

Textos como este estimulavam Kardec a seguir adiante, apesar de todos os ataques Era uma vitória ler afirmações como estas assinadas pelo mesmo Bonnemère:

Não, a morte não existe. É o instante de repouso após a jornada feita e a tarefa terminada; depois, é o despertar para uma nova obra, mais útil e maior do que a que se acaba de realizar.

Mas Kardec não conseguiu disfarçar o incômodo e a irritação ao ler, no mesmo *La Solidarité*, um novo artigo sobre a doutrina, bem menos respeitoso do que o primeiro.

No texto, o autor se recusava a acreditar na intervenção de espíritos nos fenômenos fundadores do espiritismo: as mesas girantes e os cestos escreventes. A eletricidade ou mesmo a ação direta dos supostos médiuns seriam responsáveis por todo aquele frenesi.

A velha polêmica, de quinze anos atrás, já entediava o autor de *O livro dos espíritos*. Kardec poderia repetir o que já dissera e escrevera incontáveis vezes: como explicar a presença de informações desconhecidas pelos médiuns nas mensagens telegrafadas pelos objetos? E como justificar que milhões de observadores esclarecidos — médicos, engenheiros, magistrados — dessem crédito, em todo o mundo, a fraudes ou ilusões, segundo o jornalista, tão patentes?

Desta vez, evitaria se alongar nas respostas. Preferiu recomendar a todos a leitura de *A gênese*, seu mais novo best-seller.

Tinha mais o que escrever: um longo discurso a ser lido em assembleia na Sociedade de Paris, durante a Sessão Anual Comemorativa dos Mortos.

O TESTAMENTO

Amélie foi a primeira a ouvir o texto escrito pelo marido, sob o título "O espiritismo é uma religião?".

Kardec insistia na velha resposta: não. Uma religião organizada exigiria a realização de cultos e envolveria uma "casta sacerdotal com seu cortejo de hierarquias, cerimônias e privilégios". E o espiritismo deveria ser encarado e adotado como uma "doutrina filosófica e moral".

O laço estabelecido entre os espíritas não deveria incluir contratos materiais nem práticas obrigatórias. Um sentimento moral, espiritual e humanitário deveria guiar cada reunião espírita: o da caridade:

> (...) ou por outras palavras: o amor ao próximo, que compreende os vivos e os mortos, desde que sabemos que os mortos fazem parte da humanidade.

Amélie sentiu alívio enquanto ouvia as palavras do marido. Com esta lista de instruções, ele finalmente preparava sua sucessão e punha em prática os planos de delegar tarefas para se dedicar à conclusão das novas obras:

> O que é preciso para praticar a caridade benevolente? Amar ao próximo como a si mesmo. (...) Abjurar todo o sentimento de ódio, rancor, inveja, ciúme, vingança, numa palavra, todo o desejo de prejudicar.

Sim, Kardec estava pronto a se retirar da linha de frente do movimento. O texto que escreveu a seguir, publicado na edição de dezembro de 1868 da *Revista Espírita*, não deixaria quaisquer dúvidas. O título: "Constituição transitória do espiritismo". Era hora de preparar a transição. E, desta vez, os "contratos materiais e práticas obrigatórias" rejeitados no texto anterior viriam à tona.

Uma palavra-chave guiava as orientações do codificador nesta passagem: unidade.

Kardec escreveu como o professor Rivail. Dividiu em tópicos pedagógicos os principais itens da estratégia a ser seguida para evitar a divisão do movimento:

1. respeitar os princípios básicos da doutrina, sem dar margem a ambiguidades ou interpretações contraditórias:

> Quando se tiver dito [nas obras espíritas escritas por ele] claramente que dois e dois são quatro, ninguém poderá pretender que se quis dizer que dois e dois são cinco.

2. atuar no círculo das ideias práticas, sem seguir princípios considerados quimeras, para não afastar os "homens positivos":

> Se é certo que a utopia de ontem seja, muitas vezes, a verdade de amanhã, deixemos ao amanhã o trabalho de realizar a utopia de ontem.

3. progredir de acordo com a descoberta e a confirmação de novas leis da natureza, e assimilar todas as ideias reconhecidas como justas:

> Com este caráter essencialmente progressivo, o Espiritismo jamais será ultrapassado. Esta é uma das principais garantias de sua perpetuidade.

Kardec deixou para o fim o tema mais delicado neste projeto de transição: a sua sucessão.

> Quem será encarregado de manter o espiritismo neste caminho? Quem terá a perseverança de se dedicar ao trabalho incessante que tal tarefa exige?

Quem esperava ouvir nomes, ou melhor, um nome, ficou desapontado. E também saiu frustrado quem esperava uma convocação para eleições gerais de um líder entre vários candidatos indicados pelas diferentes sociedades espalhadas pela Europa e pelo mundo. Uma tarefa inglória e inviável, segundo Kardec.

E os espíritos? Por que não anunciavam o novo líder, para evitar transtornos ou dúvidas?

> Eles nos sugerem pensamentos, ajudam-nos com seus conselhos, sobretudo no que toca as questões morais, mas deixam ao nosso julgamento a execução das coisas materiais.
>
> Em seu mundo, eles têm atribuição que não são as daqui debaixo. Pedir-lhes o que está fora de suas atribuições é expor-se às trapaças de espíritos levianos.

Ou seja: os vivos deveriam cuidar desta questão sucessória, e Kardec já tinha um plano bem desenvolvido a propor, ou melhor, a executar. A direção do espiritismo seria delegada não a um homem, mas a um Comitê Central.

O comando individual tinha sido fundamental à elaboração da doutrina — "para estabelecer a unidade no conjunto e a harmonia em todas as partes", de acordo com Kardec. Agora — com os princípios gerais estabelecidos —, um "conselho superior", formado por no máximo doze membros titulares, entraria em cena.

As funções deste grupo seriam definidas por sorteio, uma vez ao ano. Ao presidente caberiam as funções administrativas, sujeitas às deliberações do comitê, de acordo com estatutos constitutivos.

A diluição do poder tinha dois objetivos: poupar um líder único do peso de liderar um movimento cada vez mais influente e combatido, e livrar o espiritismo do risco de ser comandado por um só homem, que, movido pela vaidade, pudesse abusar de sua autoridade para impor ideias e interesses pessoais.

Em assembleia na Sociedade, Kardec defendeu o projeto, ainda no exercício de seu poder máximo, solitário e exaustivo:

> O comitê será a cabeça, o verdadeiro chefe do espiritismo, chefe coletivo, nada podendo sem o assentimento da maioria e, em certos casos, sem o aval de um congresso ou assembleia geral.

Estava pronto a abrir mão de seu "mandato", assim que o comitê fosse constituído e passasse a se dedicar a uma série de novas atribuições listadas por ele: administração de uma biblioteca e de um museu abastecidos por obras relacionadas ao espiritismo; supervisão de um dispensário para consultas médicas gratuitas, sob a direção de um médico (e não de um médium); gestão de uma caixa de socorro e previdência voltada a ações beneficentes; fundação e gestão de uma casa de retiro.

E este seria apenas o começo... Ao comitê também caberia dar conta da série de obrigações assumidas até então por Allan Kardec: redação da *Revista Espírita*; correspondência com leitores; propagação da doutrina; extensão dos laços com adeptos e sociedades particulares dos vários países; fiscalização do respeito aos princípios básicos do espiritismo; exame dos artigos de jornais e de todos os escritos relacionados à doutrina, e refutação dos ataques, quando necessário; direção das sessões da sociedade; e convocação de congressos e assembleias gerais, entre outras várias responsabilidades.

Neste processo de transição, Kardec assumiria o posto de conselheiro, destituído de poderes especiais, sem quaisquer bônus ou remuneração por seu trabalho. Ao contrário. A partir da aprovação daquele estatuto, toda a renda gerada por seus livros seria revertida para o Comitê Central, que também seria beneficiado por bens móveis e imóveis doados por Kardec e Amélie.

Ao dividir as tarefas e delegar poderes a uma equipe, Kardec alimentava também a esperança de ter tranquilidade para se dedicar a um novo livro sobre as relações entre o magnetismo e o espiritismo.

Não daria tempo.

Fazendo as contas

Kardec iniciou o ano de 1869 fazendo contas. Na falta de estatísticas oficiais, tentava definir o número de espíritas espalhados pelo mundo. De acordo com seus cálculos, os Estados Unidos concentrariam a maior quantidade de adeptos: cerca de 4 milhões. A Europa abrigaria um milhão de espíritas, 600 mil deles residentes na França. O total no mundo chegaria a 6 ou 7 milhões — estimava. Números que fez questão de festejar em discurso na Sociedade Espírita:

> Mesmo que fosse só a metade, a história não oferece nenhum exemplo de uma doutrina que, em menos de quinze anos, reuniu tal número de adeptos, disseminados pela superfície inteira do globo.

O Brasil também integrava essas estatísticas. O Rio de Janeiro sediara, em 1865, o primeiro grupo de estudos e divulgação da doutrina espírita. Membros da colônia francesa instalada na corte, unidos a integrantes das elites e classes médias da cidade, lideravam o movimento.

A partir da farta correspondência recebida de todos os cantos, Kardec arriscava também uma espécie de censo sobre o espiritismo. A doutrina seria seguida por mais homens (70%) do que mulheres, a maioria deles instruídos, de classe média, com baixo número de iletrados. Entre os profissionais liberais, os médicos homeopatas eram maioria, seguidos de perto por engenheiros e professores. Em seguida, ao lado de representantes de consulados, padres católicos! Os sempre temidos — e combativos — jornalistas ocupavam a oitava posição no ranking de adeptos do espiritismo, lado a lado com arquitetos, pintores e cirurgiões.

Outro número curioso — ou provocativo — também despontava deste censo informal: 50% dos seguidores espíritas seriam "católicos romanos livres-pensadores, não ligados ao dogma".

O jornal parisiense *La Solidarité* deu crédito e destaque a estes percentuais na edição de 13 de janeiro de 1869. Kardec festejou o tratamento respeitoso dado pelo periódico a seus números. O texto soava como música a seus ouvidos já fatigados:

> Há espíritas em todos os graus da escala social. A grande maioria dos espíritas se encontra entre pessoas esclarecidas e não entre os ignorantes. O espiritismo se propagou por toda a parte, de alto a baixo na escala social.

Outros três pontos fundamentais defendidos — ou assumidos — por Kardec ao analisar a propagação do espiritismo também ecoavam em *La Solidarité*:

> A aflição e a infelicidade são os grandes recrutadores do espiritismo, em consequência das consolações e esperanças que ele dá aos que choram e lamentam.
>
> O espiritismo encontra mais fácil acesso entre os incrédulos em matéria religiosa do que entre as pessoas que já têm uma fé consolidada.
>
> Logo depois dos fanáticos dogmáticos, os mais refratários às ideias espíritas são as criaturas cujos pensamentos estão concentrados na posse e nos prazeres materiais.

Kardec ficou impressionado com o artigo. Poucas vezes a imprensa dera tanto crédito a suas teses, esperanças e impressões. O jornal só não avalizou todos os números divulgados pelo codificador porque os considerou modestos. Kardec tinha se esquecido de incluir a Ásia em suas contas:

> Se pelo termo espírita entendem-se as pessoas que creem na vida de além-túmulo e nas relações dos vivos com as almas dos mortos, há que contá-los por centenas de milhões. A crença nos espíritos existe em todos os seguidores do budismo e pode-se dizer que ela constitui a base de todas as religiões do extremo Oriente.

Kardec, é claro, concordava com cada linha desta retificação. O texto era um alento para ele, ainda soterrado pela avalanche de cartas a responder e ansioso por dar início à transição tão planejada.

Em abril de 1869, publicou na *Revista Espírita* uma nota intitulada "Aviso muito importante". Chegara a hora.

A partir de 1º abril, o escritório de assinaturas e de expedição da revista passaria a funcionar em novo endereço: rua de Lille, número 7. Esta seria também a sede do mais novo estabelecimento ligado à Sociedade Espírita de Paris: a Livraria Espírita, entidade sem fins lucrativos, administrada por espíritas, cuja renda se reverteria integralmente à Caixa Geral do Espiritismo.

Neste mesmo dia, 1º de abril, Kardec e Amélie se mudariam, finalmente, para a Villa Ségur, número 39, logo atrás da rua des Invalides. Ali seriam erguidos o asilo, a biblioteca e o museu tão sonhados... Seriam.

Até breve!

O dia é 31 de março de 1869, véspera da mudança. Kardec empacotava livros e organizava documentos no apartamento da rua Sainte-Anne, 59, em meio a móveis fora de lugar e tapetes já enrolados para o transporte. Passava das onze da manhã quando um caixeiro de livraria bateu à porta para buscar exemplares da última edição da *Revista Espírita*.

Coberto por elegante *robe de chambre*, Kardec entregou o pacote ao visitante, curvou-se sobre si mesmo e desabou no chão sem dizer uma única palavra. Com 65 anos incompletos, o professor Hippolyte Léon Denizard Rivail estava morto — ou melhor, mais vivo do que nunca, livre do peso de seu corpo, a julgar pelas verdades definitivas que divulgara nos últimos quinze anos.

Chamado pelos criados, o médium Delanne seria o primeiro a chegar. Pressionou o peito do mestre, aplicou sobre sua cabeça e coração os passes magnéticos, e nada. Amélie voltou da rua pouco depois e não conseguiu conter as lágrimas diante do corpo do companheiro, com quem vivera ao longo de 37 anos. Os projetos de vida nova, os planos de descanso e de viagem a dois, tudo interrompido.

Mas estava escrito. Nada era por acaso. O ciclo chegara ao fim, de acordo com os planos da espiritualidade. Melhor enxugar as lágrimas e cuidar das despedidas. Em breve, acreditava Amélie, eles estariam juntos de novo.

Delanne e os criados colocaram o corpo já frio sobre um colchão na sala de visitas, e o cobriram com uma colcha de lã branca. A seus pés, envoltos em meias, os chinelos abandonados.

Onde estaria o espírito de Kardec naquele instante? Na sala, ao lado da mulher e do médium, diante da lareira acesa? Rodeado dos velhos amigos mortos antes dele e amparado pelo médico Demeure? Acolhido pelo Espírito da Verdade, por Zéfiro e outros colaboradores invisíveis? Ou em lugar nenhum, já que a morte seria apenas o fim e reduziria a nada cada um de nós?

— *Monsieur Allan Kardec est mort, on l'enterre vendredi*. (Morreu o sr. Allan Kardec, será enterrado sexta-feira.)

Foi este o conteúdo do telegrama enviado por um dos amigos de Kardec, o sr. E. Muller, aos espíritas de Lyon. Na mesma noite, outros companheiros de Sociedade Espírita se revezariam à beira do caixão durante o longo velório na sala de estar do apartamento revolto: Desliens e Tailleur, Delanne e Morin.

Só ao meio-dia de 2 de abril de 1869 o modesto coche funerário partiu da casa de Kardec rumo ao cemitério de Montmartre, o mais antigo de Paris. Uma multidão de amigos e simpatizantes, estimada em 1.200 pessoas, acompanhou o cortejo, que atravessou as ruas de Grammont, Laffitte e Fontaine, e cruzou os grandes bulevares até alcançar o túmulo.

Amélie preferiu acompanhar a cerimônia em silêncio. Quem tomou a palavra primeiro foi o sr. Levent, vice-presidente da Sociedade Parisiense de Estudos Espíritas, fundada por Kardec em 1º de abril de 1858. Há onze anos, todas as sextas-feiras, eles se encontravam nas sessões semanais de estudos da doutrina e de contatos com o além conduzidas, com rigor e serenidade, pelo discípulo de Pestalozzi. Naquele dia, Kardec — ou Rivail — estava do "outro lado".

Na beira do jazigo, Levent lançou a pergunta ao ar:

— Onde está agora o nosso mestre, sempre tão madrugador no trabalho?

E ousou questionar o inquestionável:

— Deus precisaria ter chamado o homem que ainda podia fazer tanto bem? A inteligência tão cheia de seiva, o farol, enfim, que nos tirou das trevas e nos fez entrever esse novo mundo, mais vasto e admirável do que o que imortalizou Cristóvão Colombo?

Defensor intransigente da justiça divina, Kardec teria dispensado tantos lamentos e festejado, com alívio, a lembrança a seguir:

— Mas reanimai-vos, senhores, com este pensamento tantas vezes demonstrado e lembrado pelo nosso presidente: "Nada é inútil na natureza. Tudo tem sua razão de ser; e o que Deus faz é sempre bem-feito!"

O mestre, afirmava Levent em seu discurso emocionado, cumprira sua missão. Caberia a eles dar continuidade à sua obra, de acordo com seus planos e sob seu "eflúvio benfazejo e inspirador".

O próximo a falar foi o jovem astrônomo Camille Flammarion, tão admirado por Kardec. No longo discurso, o autor de *A pluralidade dos mundos habitados* passou a limpo a trajetória do codificador e definiu, com três palavras, a personalidade do amigo: "bom senso encarnado".

Se estivesse por perto, Kardec aprovaria as descrições sobre seu destino:

— Agora voltaste a esse mundo de onde viemos e colhes os frutos de teus estudos terrenos. (...) O corpo cai, a alma fica e retorna ao espaço. Encontrar-nos-emos num mundo melhor. A imortalidade é a luz da vida, como este sol brilhante é a luz da natureza. Até breve, meu caro Allan Kardec. Até breve.

Logo depois de Flammarion, Alexandre Delanne tomou a palavra na beira do túmulo, como representante dos "espíritas dos centros distantes". No discurso, bem mais sucinto, um agradecimento emocionado ao companheiro de viagem, "desbravador da natureza humana":

— Obrigado pelas lágrimas que enxugastes, pelos desesperos que acalmastes e pela esperança que fizestes brotar nas almas abatidas e desencorajadas. Obrigado, mil vezes obrigado.

O último a discursar foi o sr. Muller. "Caros consternados" — ele saudou a multidão, com os olhos marejados, pouco antes de se apresentar como porta-voz da viúva, Amélie, silenciosa e abatida a seu lado

Nesta despedida, Muller destacou a "tolerância absoluta" de Kardec, e sua intolerância também:

— Ele tinha horror à preguiça e à ociosidade. E morreu de pé, após um labor imenso.

Logo depois de citar as palavras de ordem do mestre — "Fora da caridade não há salvação" —, Muller hasteou a bandeira que, segundo ele, deveria ser adotada como estandarte por todos os companheiros: "Razão, trabalho e solidariedade".

— Coragem, pois! Saibamos honrar o filósofo e o amigo, praticando suas máximas e trabalhando, cada um na medida de suas forças, para propagar os valores que nos encantaram e convenceram.

Na edição do *Journal de Paris* do dia seguinte, 3 de abril de 1869, o jornalista Pagès de Noyez prestou também sua homenagem a Allan Kardec, o "homem que, por suas obras, fundara o dogma pressentido pelas mais antigas sociedades".

Adepto do espiritismo, o repórter — que vira o corpo de Kardec sobre o colchão logo após sua morte — escrevia com admiração rara aos jornalistas que Kardec enfrentara ao longo de sua cruzada:

> Allan Kardec morreu na sua hora. Com ele, fechou-se o prólogo de uma religião vivaz, que, irradiando cada vez mais a cada dia, em breve iluminará toda a humanidade.

O jornalista pecou por excesso de otimismo ou de esperança.

Depois da morte

As semanas seguintes foram conturbadas. Para conduzir a Sociedade de Paris, foi eleita uma comissão com sete representantes aprovados por Amélie: Levent, Malet, Canaguier, Ravan, Desliens, Delanne e Tailleur passaram a se desdobrar para dar conta de todas as tarefas acumuladas, sozinho, por Kardec. Malet assumiria a presidência da Sociedade, mas o comando — de fato — seria exercido pela viúva.

Na *Revista Espírita* de maio de 1869, um artigo intitulado "Caixa geral do espiritismo — decisão da senhora Allan Kardec" não deixava quaisquer dúvidas quanto ao poder dela à frente do espólio do marido.

Como "única proprietária legal das obras e da revista", segundo definição da publicação, Amélie anunciou as primeiras decisões — algumas delas divergentes do projeto de transição proposto por Kardec.

Em vez de doar toda a renda da venda dos livros à Caixa Geral do Espiritismo, ela preferiu destinar ao fundo, uma vez por ano, o "excedente dos lucros provenientes dos livros espíritas e das assinaturas da revista". Um tesoureiro ficaria responsável pela administração da verba, sob a supervisão da Comissão Diretora.

A inauguração do Museu Espírita também teria de esperar. Oito quadros de grandes dimensões fariam parte do acervo inicial, de acordo com os planos de Kardec: retratos do mestre, cenas da vida de Joana d'Arc e telas inspiradas em Jesus e seus apóstolos. Amélie, porém, decidiu guardar, num depósito, seis destas telas até providenciar um local apropriado, "comprado com os fundos provenientes da Caixa Geral".

A viúva passou a fiscalizar também a qualidade e a consistência dos artigos a serem publicados na *Revista Espírita*. Cada texto deveria ser aprovado pela Comissão Central e sancionado por ela — uma decisão que incomodara muitos dos antigos colaboradores de Kardec.

O que ele, Kardec, teria a dizer sobre estes novos rumos? Alguma mensagem específica à sua mulher e aos companheiros de doutrina, enviada através dos médiuns da Sociedade? Algum novo conselho sobre os caminhos a seguir ou evitar nesta luta diária pela divulgação do espiritismo?

As primeiras mensagens do mestre demorariam a chegar, e só viriam à tona no segundo semestre de 1869, nas páginas da *Revista Espírita*. Nada muito específico nem prático:

> — Há muitos séculos as humanidades prosseguem de maneira uniforme a sua marcha ascendente através do espaço e do tempo. Há universos e mundos, como povos e indivíduos...

Nenhuma revelação sobre a vida nova no além. Nenhum comentário pessoal. Nenhuma manifestação de saudade nem de arrependimento.

A julgar por um dos trechos publicados, Kardec preferia, depois de morto, manter distância das decisões práticas do dia a dia:

> — (...) nós vos deixamos o julgamento das próprias intenções, para só apreciarmos os resultados.

Nenhuma mensagem assinada por Kardec avalizaria — ou renegaria — outra decisão tomada pelo comitê e aprovada por Amélie: a de transferir, em março de 1870, seus despojos mortais para o Père-Lachaise, o cemitério de Balzac, Chopin, Molière, Proust e outras celebridades em

Paris. A simplicidade do túmulo original daria lugar a um mausoléu imponente — ou melhor, a um *dolmen* —, com direito a busto de bronze do homenageado, esculpido pelo premiado artista Charles-Romain Capellaro.

Kardec teria aprovado este projeto? Em artigo na *Revista Espírita*, publicado em junho de 1869 sob o título "Pedra tumular do Sr. Allan Kardec", o redator anônimo deu a resposta:

> É bem evidente para nós, como para todos os que o conheceram, que o sr. Allan Kardec, como espírito, não se interessa de modo algum por uma manifestação deste gênero, mas o homem se apaga — neste caso — diante do chefe da doutrina.

O importante, segundo os projetistas do mausoléu, seria consagrar aos restos mortais de Kardec um "monumento imperecível".

Duas inscrições gravadas no granito homenageavam a trajetória do professor cético, discípulo de Pestalozzi, que mudara de vida e de nome para dar voz aos espíritos.

Na face dianteira do pedestal — logo após a definição "fundador da filosofia espírita" —, uma sequência de frases que Hippolyte Léon Denizard Rivail costumava repetir aos alunos: "*Tout effet a une cause. Tout effet intelligent a une cause intelligente. La puissance de la cause est en raison de la grandeur de l'effet.*" (Em tradução livre: "Todo efeito tem uma causa. Todo efeito inteligente tem uma causa inteligente. O poder da causa corresponde à grandeza do efeito.")

E na borda frontal do granito, um resumo da essência da doutrina: "*Naitre mourir renaitre encore et progressser san cesse. Telle est la loi.*" ("Nascer, morrer, renascer ainda e progredir sem cessar. Tal é a lei.")

Em pouco tempo, o túmulo passaria a atrair visitantes de todo o mundo, inclusive do Brasil, país que mereceu destaque especial na *Revista Espírita* cerca de sete meses após a morte de Kardec. Na edição de outubro, um artigo festejava o lançamento, em julho de 1869, do primeiro periódico dedicado à doutrina espírita em terras brasileiras: o *Echo d'Além Túmulo*, jornal bimestral, com sessenta páginas, editado em Salvador, na Bahia, sob a direção do abolicionista Luiz Olympio Telles de Menezes.

> É necessário uma grande coragem, a coragem da opinião, para lançar num país refratário como o Brasil um órgão destinado a popularizar os nossos ensinamentos.

Era impossível imaginar, no fim do século XIX, que um país tão católico se tornaria, no século seguinte, a capital do espiritismo no mundo, berço de um dos discípulos mais devotados de Allan Kardec: Chico Xavier, o médium que escreveu mais de quatrocentos livros e renegou a autoria — e os direitos autorais — de todos eles. "Eu não escrevi nada. Eles, os espíritos, escreveram", repetiria até morrer, aos 92 anos, na cama estreita de seu quarto acanhado na cidade de Uberaba, em Minas Gerais, admirado por milhões de brasileiros e atacado por outros tantos.

Difícil prever também, naquela época, em meio ao luto pela morte de Kardec e às incertezas sobre sua sucessão, o quanto a doutrina sofreria perdas e abalos, na Europa e nos Estados Unidos, sem a vigilância e a militância do mestre.

Seis anos depois de morrer, Kardec estaria no centro de uma nova polêmica, mas sem direito à defesa, no episódio conhecido como o "processo dos espíritos".

Kardec no banco dos réus

Em janeiro de 1875, a *Revista Espírita*, sob a direção de Pierre-Gaëtan Leymarie e supervisão de Amélie, abriu suas páginas a uma série de "fotografias de espíritos", produzidas em estúdio pelo fotógrafo Édouard Buguet e pelo jovem médium americano Alfred Firman.

Uma das fotos exibia a viúva Amélie, com expressão serena, sentada numa cadeira. Ao fundo, a imagem diluída do suposto espírito de Kardec, mesma expressão sisuda das fotos antigas, com um cartão preenchido com letras miúdas, quase ilegíveis, diante dele. Para os observadores céticos, não havia dúvidas: montagem. E não era a única.

Muitos familiares saudosos recorriam à câmera de Buguet — e aos "fluidos magnéticos" de Firman — para tentar captar a presença no estúdio de seus entes queridos mortos. Quarenta por cento dos clientes, segundo cálculos do próprio Leymarie, voltavam para casa com os flagrantes e — o mais importante — com a evidência da sobrevivência do espírito. Cada fotografia era vendida por 75 cêntimos, uma pechincha, mas não para a justiça.

O caso chegou nos tribunais no dia 16 de junho de 1875. Leymarie e seus cúmplices foram acusados de fraude pelo juiz Millet. Sob pressão, Buguet não demorou a confessar suas artimanhas: entrevistava as famílias para colher dados sobre a aparência dos mortos — altura, idade, cores de cabelo e olhos — e, com ajuda de bonecos, silhuetas em papelão e negativos com semblantes semelhantes às descrições, compunha seus fotogramas.

Quanto a Leymarie, seria seu cúmplice ou sócio?

Diante de um juiz incrédulo, garantiu Buguet:

— Não. Ele não sabia de nada.

O sucessor de Kardec à frente da revista entrou no tribunal algemado — para alegria dos adversários do espiritismo e júbilo da imprensa — e se recusou a confessar o crime para se livrar da cadeia. Foi condenado a um ano de prisão e ao pagamento de quinhentos francos de multa — mesma pena de Buguet — após sofrer um interrogatório demolidor.

O juiz se recusou a dar crédito às testemunhas que juraram reconhecer, nas fotos do além, as imagens de seus mortos queridos, e atribuiu ao desespero estas declarações de fé. Ao longo dos interrogatórios, o nome de Allan Kardec foi citado pelo magistrado inúmeras vezes — e nunca com respeito.

Era como se a doutrina estivesse no banco dos réus. Até sobre as vendas das obras de Kardec o juiz pediu detalhes. Leymarie tinha as contas atualizadas: *O livro dos espíritos* já estava na vigésima edição, *O livro dos médiuns*, na décima, e *O evangelho segundo o espiritismo*, na sétima.

Mas o pior ainda estava por vir. Aos 80 anos, Amélie Boudet foi chamada a depor como testemunha. No centro do inquérito, Allan Kardec.

O juiz então perguntou, com ironia:

— Onde foi que ele arranjou este nome?

Amélie nem teve tempo de responder.

— Conhecemos as origens dos livros do seu marido. Ele os retirou principalmente do *Grand Grimoire*.

A viúva disse desconhecer a tal publicação — um livro de magia negra — e repetiu o que todo espírita sabia: as obras de Kardec seriam resultado de consultas a espíritos através de médiuns.

O juiz deu de ombros e passou a questionar a decisão de a viúva enterrar o próprio marido não com o nome de batismo, mas com o pseudônimo retirado, segundo ele, do nome de uma floresta da Bretanha.

Amélie reagiu:

— Não se deve brincar com este assunto.

E o magistrado foi além:

— Não gostamos de gente que toma nomes que não lhe pertencem, de escritores que pilham obras antigas e que enganam o público.

— Todos os literatos usam pseudônimos. Meu marido jamais pilhou coisa alguma.

— Ele é um compilador, não um literato. Era um homem que praticava a magia negra ou branca. Vá sentar-se!

Se Kardec estivesse ali, corria o risco de ser preso. Mas estava bem longe, e já não mandava notícias do além.

Quem quisesse saber mais sobre ele precisaria recorrer a seus arquivos.

O manuscrito

Entre os papéis guardados na casa de Kardec, Amélie encontrou um manuscrito sem data. Um balanço de vida, mantido em sigilo até a publicação da reveladora *Obras póstumas*.

O título do texto: "Fora da caridade não há salvação".

Estes princípios, para mim, não existem apenas em teoria, pois que os ponho em prática; faço tanto bem quanto o permite minha posição; presto serviços quando posso; os pobres nunca foram repelidos de minha porta ou tratados com dureza; foram recebidos sempre, a qualquer hora, com a mesma benevolência; jamais me queixei dos passos que hei dado para fazer um benefício; pais de família têm saído da prisão graças aos meus esforços.

Certamente não me cabe inventariar o bem que já pude fazer; mas, do momento em que parecem esquecer tudo, é-me lícito, creio, trazer à lembrança que a minha consciência me diz que nunca fiz mal a ninguém, que hei praticado todo o bem que esteve ao meu alcance, e isto, repito-o, sem me preocupar com a opinião de quem quer que seja.

A esse respeito trago tranquila a consciência; e a ingratidão com que me hajam pago em mais de uma ocasião não constituirá motivo para que eu deixe de praticar o bem.

Eis como entendo a caridade cristã. Compreendo uma religião que nos prescreve que retribuamos o mal com o bem e, com mais forte razão, que retribuamos o bem com o bem. Nunca, entretanto, compreenderia a que nos prescrevesse que paguemos o mal com o mal.

ALLAN KARDEC

FIM

Bibliografia

ABREU, Canuto. *O primeiro Livro dos Espíritos de Allan Kardec*. São Paulo: Instituto Canuto Abreu, 1957.

______. *O Livro dos Espíritos e sua tradição histórica e lendária*. São Paulo: Edições LFU, 1996.

ALLAN Kardec, o grande codificador. São Paulo: Editora Martin Claret, 1995. [Coleção Mensagens Espirituais.]

AUDI, Edson. *Vida e obra de Allan Kardec (Bicentenário de Nascimento)*. Niterói: Lachâtre, 2004.

BARRERA, Florentino. *Resumo analítico das obras de Allan Kardec*. São Paulo: Madras Editora; U.S.E., 2003.

______. *O processo dos espíritos* — Uma história de uma injustiça. São Paulo: Madras Editora, 2004.

BEZ, Auguste. *Os milagres dos nossos dias* — Jean Hillaire, o médium que assombrou Kardec e sua época. São Paulo: Madras Editora, 2003.

CROOKES, William. *Fatos espíritas*. Rio de Janeiro: Federação Espírita Brasileira, 1971.

DUFAUX, Ermance. *A história de Joana D'Arc por ela mesma*. Rio de Janeiro: Editora Léon Denis, 2002.

______. *A história de Luís IX ditada por ele mesmo*. Rio de Janeiro: Editora Léon Denis, 2004.

GALLOIS, N.; RIVAIL, H. *Uma paixão de salão*. São Paulo: Editora CCDPE-ECM, 2012.

IMBASSAHY, Carlos. *A missão de Allan Kardec*. Curitiba: Federação Espírita do Paraná, 1988.

INCONTRI, Dora. *Para entender Allan Kardec*. Rio de Janeiro: Lachâtre, 2004. [Série Grandes Questões.]

JONES, Colin. *Paris, biografia de uma cidade*. Porto Alegre: L&PM Editores, 2004.

KARDEC, Allan. *Revista Espírita*. Trad. Júlio Abreu Filho. São Paulo: Editora Cultural Espírita (Edicel), 1973. [Coleção completa.]

______. *A gênese*. Rio de Janeiro: Federação Espírita Brasileira, 2004.

______. *Introdução ao estudo da doutrina espírita*. Rio de Janeiro: Federação Espírita Brasileira, 2004.

______. *O céu e o inferno*. Rio de Janeiro: Federação Espírita Brasileira, 2004.

______. *O evangelho segundo o espiritismo*. Rio de Janeiro: Federação Espírita Brasileira, 2004.

______. *O livro dos espíritos*. Rio de Janeiro: Federação Espírita Brasileira, 2004.

______. *O livro dos médiuns*. Rio de Janeiro: Federação Espírita Brasileira, 2004.

______. *O que é o espiritismo*. Rio de Janeiro: Federação Espírita Brasileira, 2004.

______. *Viagem espírita em 1862*. Rio de Janeiro: Federação Espírita Brasileira, 2004.

______. *Obras póstumas*. Rio de Janeiro: Federação Espírita Brasileira 2006.

LARA, Eugenio. *Amélie Boudet, uma mulher de verdade*. São Paulo: Pense (Pensamento Social Espírita), 2001.

LEYMARIE, Madame P.G. *Processo dos espíritas*. Rio de Janeiro: Federação Espírita Brasileira, 1975.

LOMBROSO, Cesare. *Hypnotisme et Spiritisme*. Paris: Ernest Flammarion, 1910.

MARTINS, Jorge Damas; BARROS, Stenio Monteiro de. *Allan Kardec, análise de documentos biográficos*. Rio de Janeiro: Lachâtre, 1999.

MONTEIRO, Eduardo Carvalho. *Allan Kardec, o druida reencarnado*. São Paulo: CCDPE; Capivari: EME, 2008.

MOREIL, André. *Vida e obra de Allan Kardec*. São Paulo: Edicel, 1966. [Coleção Vidas Missionárias.]

NUNES, Beatriz Helena P. Costa; AUGUSTO, Cleone; JESUS, Edgar Francisco de; SOUZA, Elizabeth Pinto Valente de; DUBS, Fabio; FREITAS, Iole de; SCHNEIDER, Maria do Carmo Marino; VALLE, Nadia do Couto; SIMÕES, Pedro; FEITA, Renata; MONTEIRO, Rodrigo Bentes; JESUS, Veronica Cardoso de. *Em torno de Rivail*: o mundo em que viveu Allan Kardec. Rio de Janeiro: Lachâtre; Centro de Cultura, Documentação e Pesquisa do Espiritismo, 2004.

NUS, Eugène. *Les grands mystères*. Paris: Noirot e Company, 1911.

PERROT, Michelle (Org.). *História da vida privada* — Da Revolução Francesa à Primeira Guerra. v. 4. São Paulo: Companhia das Letras, 2009.

REFORMADOR. Rio de Janeiro: Federação Espírita Brasileira, exemplares avulsos de 1883 a 2013

RIVAIL, Hippolyte Léon Denizard. *Textos pedagógicos*. São Paulo: Editora Comenius, 1998.

ROUSTAING, J.-B. *Os quatro evangelhos*. Rio de Janeiro: Federação Espírita Brasileira, 2002.

SAUSSE, Henri. *Biografia de Allan Kardec*. Rio de Janeiro: Federação Espírita Brasileira, 1983.

STOLL, Sandra Jacqueline. *Espiritismo à brasileira*. São Paulo: Edusp, 2006.

TORCHI, Christiano. *Espiritismo passo a passo com Kardec*. Rio de Janeiro: Federação Espírita Brasileira, 2006.

VARTIER, Jean. *Allan Kardec, la naissance du spiritisme*. Paris: Hachette, 1971.

WANTUIL, Zeus. *As mesas girantes e o espiritismo*. Rio de Janeiro: Federação Espírita Brasileira, 1958.

______; THIESEN, Francisco. *Allan Kardec*. v. I, II e III. Rio de Janeiro: Federação Espírita Brasileira, 1973.

______. *Allan Kardec, o educador e o codificador*. Rio de Janeiro: Federação Espírita Brasileira, 2004.

WEISBERG, Barbara. *Falando com os mortos*. Rio de Janeiro: Agir, 2011.

Este livro foi composto na tipografia Minion
Pro, em corpo 11,5/16, e impresso em
papel off-white no Sistema Cameron da
Divisão Gráfica da Distribuidora Record.